元讀書堂本《素問》（中）

主　編◎錢超塵
副主編◎王育林　劉　陽

《黄帝内經》版本通鑒
第二輯

北京科学技术出版社

《黄帝内經》版本通鑒·第二輯

元讀書堂本《素問》（中）

解題 劉陽

新刊黄帝内經素問卷九

啓玄子次註林億孫奇高保衡等奉敕校正孫兆重改誤

熱論　　刺熱論

評熱病論　逆調論

熱論篇第三十一

新校正云按全元起本在第五卷

黄帝問曰今夫熱病者皆傷寒之類也或愈或死其死皆以六七日之間其愈皆以十日已上者何也不知其解願聞其故寒者冬氣也冬時嚴寒萬類深藏君子固密不傷於寒觸冒之者乃名傷寒其傷於四時之氣者皆能為病以傷寒為毒者最乘殺厲之氣中而即病名曰傷寒不即病者寒毒藏於肌膚至夏至前變為温病夏至後變為熱病

然其發起皆爲傷寒致之故曰熱病者皆傷寒之類也○新校正云按傷寒論云至春變爲温病至夏變爲暑病与王注異王注本素問爲說傷寒論本陰陽大論爲說故此不同岐伯對曰巨陽者諸陽之屬也巨大也大陽之氣經絡氣血榮衛於身故諸陽氣皆所宗屬其脉連於風府風府穴名也在頂上入髪際同身寸之一寸宛宛中是故爲諸陽主氣也足大陽脉浮氣之在頭中者凡五行故統主諸陽之氣人之傷於寒也則爲病熱熱雖甚不死寒毒薄於肌膚陽氣不得散發而内怫結故傷寒者反爲病熱其兩感於寒而病者必不免於死藏府相應而俱受寒謂之兩感帝曰願聞其狀謂非兩感者之形證岐伯曰傷寒一日巨陽受之三陽之氣大陽脉浮脉浮者外在於皮毛故傷寒一日大陽先受之故頭項痛腰脊強

上文云其脉連於風府畧言也細而言之者足大陽脉從巔入絡腦還出别下項循肩髆内俠脊抵腰中故頭項痛腰脊强○新校正云按甲乙經及大素作頭項腰脊皆强二日陽明受之以陽感熱同氣相求故自大陽入陽明也陽明主肉其脉俠鼻絡於目故身熱目疼而鼻乾不得卧也身熱者以肉受邪胃中熱煩故不得卧餘隨脉絡之所生也三日少陽受之少陽主膽新校正云按全元起本膽作骨元起注云少陽者肝之表肝候筋筋會於骨是少陽之氣所榮故言主於骨甲乙經大素等並作骨其脉循脇絡於耳故胷脇痛而耳聾三陽經絡皆受其病而未入於藏者故可汗而已以病在表故可汗也○新校正云按全元起本藏作府元起注云傷寒之病始入皮膚之腠理漸勝於諸陽而未入府故須汗發其寒熱而散之大素亦作府

四日大陰受之陽極而陰受也大陰脉布胃中絡於嗌
故腹滿而嗌乾五日少陰受之少陰脉貫腎絡
於肺繫舌本故口燥舌乾而渴六日厥陰受之
厥陰脉循陰器而絡於肝故煩滿而囊縮三陰
三陽五藏六府皆受病榮衛不行五藏不通則
死矣死猶澌也言精氣皆澌也是以其死皆病六七日間者此也澌息次切其不
兩感於寒者七日巨陽病衰頭痛少愈邪氣漸退經氣
漸和故少愈八日陽明病衰身熱少愈九日少陽病
衰耳聾微聞十日大陰病衰腹減如故則思飲
食十一日少陰病衰渴止不滿舌乾已而嚏十

二日厥陰病衰，囊縱少腹微下，大氣皆去，病日已矣。大氣謂大邪之氣也。是故其愈皆病十日已上者，以此也。帝曰：治之柰何？岐伯曰：治之各通其藏脉，病日衰已矣。其未滿三日者，可汗而已；其滿三日者，可泄而已。此言表裏之大體也。正理傷寒論曰：脉大浮數，病爲在表，可發其汗；脉細沉數，病爲在裏，可下之。由此則雖日過多，但有表證而脉大浮數，猶宜發汗；日數雖少，即有裏證而脉沉細數，猶宜下之。正應隨脉證以汗下之。帝曰：熱病已愈，時有所遺者，何也？岐伯曰：諸遺者，熱甚而強食之，邪氣衰去不盡，如遺之在人也。故有所遺也。若此者，皆病已衰而熱有所藏，因其穀氣相薄，兩熱相合，故有所遺也。帝曰：善。治

遺奈何岐伯曰視其虛實調其逆從可使必已
矣審其虛實而補寫之則必已帝曰病熱當何禁之岐伯曰
病熱少愈食肉則復多食則遺此其禁也是所謂戒
食勞也熱雖少愈猶未盡除脾胃氣虛故未能消化肉堅食駐故熱復生復謂復舊病也
帝曰其病兩感於寒者其脉應與其病形何如
岐伯曰兩感於寒者病一日則巨陽與少陰俱
病則頭痛口乾而煩滿新校正云按傷寒論云煩滿而渴二日
則陽明與大陰俱病則腹滿身熱不欲食譫言
譫言謂妄謬而不次也○新校正云按楊上善云多言也譫之閻切三日則少陽
與厥陰俱病則耳聾囊縮而厥水漿不入不知

人六日死（巨陽與少陰爲表裏陽明與太陰爲表裏少陽與厥陰爲表裏故兩感寒氣同受其邪）帝曰五藏已傷六府不通榮衛不行如是之後三日乃死何也岐伯曰陽明者十二經脉之長也其血氣盛故不知人三日其氣乃盡故死矣（以上承氣海故三日氣盡乃死）凡病傷寒而成温者先夏至日者爲病温後夏至日者爲病暑暑當與汗皆出勿止（此以熱多少盛衰而爲義也陽熱未盛爲寒所制故爲病曰温陽熱大盛寒不能制故爲病曰暑然暑病者當與汗之令愈勿反止之令其甚也○新校正云按凡病傷寒已下全元起本在奇病論中王氏移於此楊上善云冬傷於寒輕者夏至以前發爲温病冬傷於寒甚者夏至以後發爲暑病）

〇刺熱篇第三十二新校正云按全元起本在第五卷

肝熱病者小便先黃腹痛多卧身熱肝之脉環陰器抵少腹而上故小便不通先黃腹痛多卧也寒薄生熱身故熱焉熱爭則狂言及驚脇滿痛手足躁不得安卧經絡雖已受熱而神藏猶未納邪邪正相薄故云爭也餘爭同之又肝之脉從少腹上俠胃貫鬲布脇肋循喉嚨之後絡舌本故狂言脇滿痛也肝性靜而主驚駭故病則驚手足躁擾卧不得安庚辛甚甲乙大汗氣逆則庚辛死肝主木庚辛爲金金尅木故甚死於庚辛也甲乙爲木故大汗於甲乙刺足厥陰少陽厥陰肝脉少陽膽脉其逆則頭痛貟貟脉引衝頭也肝之脉自舌本循喉嚨之後上出額与督脉會於巔故頭痛貟貟然脉引衝於頭中也貟貟謂似急也心熱病者先不樂數日

乃熱（熱夫所以任治於物者謂心病氣入於經絡則神不安治故先不樂數日乃熱也）熱爭則卒心痛煩悶善嘔頭痛面赤無汗（心手少陰脉起於心中其支別者從心系上俠咽小腸之脉直行者循咽下膈抵胃其支別者從缺盆循頸上頰至目外眥故卒心痛煩悶善嘔頭痛面赤也心在液為汗今病熱故無汗以出○新校正云按甲乙經外眥作兌眥王注厥論亦作兌眥外當作兌）壬癸甚丙丁大汗氣逆則壬癸死（心主火壬癸為水水滅火故甚死於壬癸也丙丁為火故大汗於丙丁氣逆之證經闕其文）刺手少陰太陽（少陰心脉太陽小腸脉）脾熱病者先頭重頰痛煩心顏青欲嘔身熱（胃之脉起於鼻交頞中下循鼻外入主齒中還出俠口環唇下交承漿却循頤後下廉出大迎循頰車上耳前過客主人循髮際至額顱故先頭重頰痛顏青也脾之脉支別者復從胃別上鬲注心中煩

直行者上鬲俠咽故煩心欲嘔而身熱也○新校正云按甲乙經太素云脾熱病先頭重頰痛无顏青二字熱爭則腰痛不可用俛仰腹滿泄兩頷痛胃之脉支別者起胃下口循腹裏下至氣街中而合以下髀氣街者腰之前故腰痛也脾之脉入腹屬脾絡胃又胃之脉自交承漿却循頤後下廉出大迎循頰車故腹滿泄而兩頷痛頷胡感切甲乙甚戊己大汗氣逆則甲乙死脾主土甲乙為木木伐土故甚死於甲乙也戊己為土故大汗於戊己氣逆之證經所未論刺足太陰陽明大陰脾脉陽明胃脉○新校正云按甲乙經熱病下篇云病先頭重頰痛煩心身熱熱爭則腰痛不可用俛仰腹滿兩頷痛其暴泄善飢而不欲食善噫熱中足清腹脹食不化善嘔泄有膿血苦嘔无所出先取三里後取大白章門肺熱病者先淅然厥起毫毛惡風寒舌上黃身熱肺主皮膚外養於毛故熱中之

則先淅然惡風寒起毫毛也肺之脉起於中焦下絡大腸還循胃口今肺熱入胃胃熱上升故舌上黄而身熱熱爭則喘欬痛走胸膺背不得大息頭痛不堪汗出而寒肺居鬲上氣主胸膺復在變動爲欬又藏氣而主呼吸背復爲背中之府故喘欬痛走胸膺背不得息也肺之絡脉上會耳中今熱氣上熏故頭痛不甚汗出而寒丙丁甚庚辛大汗氣逆則丙丁死肺主金丙丁爲火火爍金故甚死於丙丁也庚辛爲金故大汗於庚辛也氣逆之證經闕未書刺手大陰陽明出血如大豆立已大陰肺脉陽明大腸脉當視其絡脉盛者乃刺而出之腎熱病者先腰痛胻痠苦渴數飲身熱膀胱之脉從肩髆内俠脊抵腰中又腰爲腎之府故先腰痛也又腎之脉自循内踝之後上𨄔内出膕内廉又直行者從腎上貫肝鬲入肺中循喉嚨俠舌本故胻痠苦渴數飲身熱痠音酸

胻戶當反熱爭則項痛而強胻寒且痠足下熱不欲
言膀胱之脉從腦出則下項又入腎之脉起於小指之下斜趨足心出於然骨之下循內踝之
後別入跟中以上腨內又其直行者從腎上貫肝鬲入肺中循喉嚨俠舌本故項痛而強胻寒
且痠足下熱不欲言也○新校正云按甲乙經然骨作然谷跟音根其逆則項痛
貟貟澹澹然腎之筋循脊內俠膂上至項結于枕骨與膀胱之筋合膀胱之脉又
並下于項故項痛貟貟然也澹澹為似欲不定也戊己甚壬癸大汗氣
逆則戊己死腎主水戊己為土土刑水故甚死於戊己也壬癸為水故大汗於壬
癸刺足少陰太陽少陰腎脉太陽膀胱脉諸汗者至其所
勝日汗出也氣王日為所勝王則勝邪故各當其王日汗肝熱病者
左頰先赤肝氣合木木氣應春南面正理之則其左也心熱病者顏

先赤心氣合火火氣炎上指象明候故候於顏顏額也脾熱病者鼻先赤脾氣合土王於中鼻處面中故占鼻也肺熱病者右頰先赤肺氣合金金氣應秋南面正理之則其右頰也腎熱病者頤先赤腎氣合水水推閏下指象明候故候於頤也病雖未發見赤色者刺之名曰治未病聖人不治已病治未病不治已乱治未乱此之謂也熱病從部所起者至期而已期爲大汗之日也如肝甲乙心丙丁脾戊己肺庚辛腎壬癸是爲期日也其刺之反者三周而已反謂反取其氣也如肝病刺脾脾病刺腎腎病刺心心病刺肺肺病刺肝者皆是反刺五藏之氣也三周謂三周於三陰三陽之脉狀也又大陽病而刺寫陽明陽明病而刺寫少陽少陽病而刺寫大陰大陰病而刺寫少陰少陰病而刺寫厥陰如此是爲反取三陰三陽之脉氣也重逆則死先刺已反病氣

流注又反刺之是為重逆一逆刺之尚至三周乃已究其重逆而得生邪諸當汗者至其所勝日汗大出也王則勝邪故各當其王日汗○新校正云按此條文注二十四字與前文重複當刪去甲乙經太素亦不重出諸治熱病以飲之寒水乃刺之必寒衣之居止寒處身寒而止也寒水在胃陽氣外盛故飲寒乃刺熱退則涼生故身寒而止鍼熱病先胷脇痛手足躁刺足少陽補足大陰此則舉正取之例然足少陽木病而寫足少陽之木氣補足大陰之土氣者恐木傳於土也胷脇痛丘墟主之丘墟在足外踝下如前陷者中足少陽脈之所過也刺可入同身寸之五分留七呼若灸者可灸三壯熱病手足躁經無所主治之自然補足大陰之脈當於井滎取之也○新校正云詳足太陰全元起本及太素作手太陰楊上善云手大陰上屬肺從肺出腋下故胷脇痛又按靈樞經云熱病而

胃脇痛手足躁取之筋間以第四鍼索筋脇汧
不得索之於金金肺也以此決之作手大撈者
爲足
病甚者爲五十九刺
五十九刺者謂頭上五
行行五者以越諸陽之
熱逆也大杼膺俞缺盆背俞此八者以寫胷中
之熱也氣街三里巨虛上下廉此八者以寫胃
中之熱也云門髃骨委中髓空此八者以寫四
支之熱也五藏俞傍五此十者以寫五藏之熱
也凡此五十九穴者皆熱之左右也故病甚則
尔刺之然頭上五行行者當中行謂上星顖會前
項百會後頂次兩傍謂五處承光通天絡郤玉
枕又刺兩傍謂臨泣目窗正營承靈腦空也上
星在顱上直鼻中央入髮際同身寸之一寸陷
者中谷豆刺可入同身寸之四分○新校正云
按甲乙經四分作三分水熱穴論注亦作三分詳
此注下支云刺如上星法又云刺如顖會法既
有二法則當依甲乙經及水熱穴論注上星刺
入三分顖會刺入四分顖會在上星後同身寸
之一寸陷者刺如上星法前頂在顖會後同身
寸之一寸五分骨間陷者中刺如顖會法百會

在前頂後同身寸之一寸三分頂中央旋毛中
陷容指督脉足太陽脉之交會剌如上星法後
頂在百會後後同身寸之一寸五分枕骨上剌
如顖會法然是五者皆督脉氣之所發也上星
留六呼若灸者並灸五壯次兩旁穴五處在上
星兩傍同身寸之一寸五分承光在五處後同
身寸之一寸通天在承光後同身寸之一寸五
分絡却在通天後同身寸之一寸五分玉枕在
絡却後同身寸之七分然是五者處足大陽脉
氣所發剌可入同身寸之三分五処通天各留
七呼絡却留五呼玉枕留三呼若灸者可灸三
壯○新校正云按甲乙經承光不可灸玉枕刺
入二分又次兩傍臨泣在頭直目上入髮際同
身寸之五分足大陽少陽陽維三脉之會目窗
正營遞相去同身寸之一寸承靈腦空遞相去
同身寸之一寸五分然是五者並足少陽陽維
二脉之會腦空一穴剌可入同身寸之四分餘
並可剌入同身寸之三分臨泣留七呼若灸者可
灸五壯大杼在項第一椎下兩傍相去各同身
寸之一寸半陷者中督脉別絡足大陽手太陽

三脈氣之會刺可入同身寸之三分留七呼若灸者可灸五壯○新校正云按甲乙經作七壯氣穴注作七壯刺瘧注熱穴注作五壯膺俞者膺中俞也正名中府在背中行兩傍相去同身寸之六寸云門下一寸乳上三肋間動脈應手陷者中仰而取之手足太陰脈之會刺可入同身寸之三分留五呼若灸者可灸五壯缺盆在肩上橫骨陷者中手陽明脈氣所發刺可入同身寸之三分留七呼若灸者可灸三壯背俞當是風門熱府在第二椎下兩傍各同身寸之一寸半督脈足太陽之會刺可入同身寸之五分留七呼若灸者可灸五壯驗今明堂中誥圖經不言背俞未詳果何處也○新校正云按王注水熱穴論以風門熱府爲背俞又注氣穴論以大杼爲背俞此注云未詳蓋疑之也○氣衝在腹齊下橫骨兩端鼠鼷上同身寸之一寸動應手足陽明脈氣所發刺可入同身寸之三分留七呼若灸者可灸五壯三里在膝下同身寸之三寸腨外廉兩筋肉分間足陽明脈之所入也刺可入同身寸之一寸留七呼若灸者可灸

三壯巨虛上廉足陽明与大陽入在三里下同
身寸之三寸足陽明脈氣所發刺可入同身寸
之八分若灸者可灸三壯巨虛下廉足陽明与
少陽合在上廉下同身寸之三寸足陽明脈氣
所發刺可入同身寸之三分若灸者可灸三壯
雲門在巨骨下胷中行兩傍○新校正云按氣
穴論注胷中行兩傍作俠注脈傍橫去任脈丈
虽異穴之處所則同　相去同身寸之六寸動
脈應手中府當其下同身寸之一寸雲門手大
陰脈氣所發舉臂取之刺可入同身寸之七分
若灸者可灸五壯驗今明堂中誥圖經不載髃
骨穴尋其穴以寫四支之熱恐是有髃穴〻在
肩端兩骨間手陽明蹻脈之會刺可入同身寸
之六分留六呼若灸者可灸三壯委中在足膝
後屈處膕中央約文中動脈○新校正云詳委
中穴与氣穴注骨空注刺瘧論注并此王氏四
處注之彼此注无足膝後屈處五字与此注異
者兼实有異蓋注有許畧尔○足大陽脈之所
入也刺可入同身寸之五分留七呼若灸者可
灸三壯髓空者正名腰俞在脊中第二十一椎

節下間督脉氣所發刺可入同身寸之一分○新挍正云按甲乙經作二寸水熱穴論汁亦作二寸氣府論注骨空論注作一分○留七呼若灸者可灸三壯五藏俞傍五者謂嵬户神堂嵬門意舍志室五穴也在俠脊兩傍各相去同身寸之三寸並足太陽脉氣所發也嵬户在第三椎下兩傍正坐取之刺可入同身寸之五分若灸者可灸五壯神堂在第五椎下兩傍刺可入同身寸之三分若灸者可灸五壯嵬門在第九椎下兩傍正坐取之刺可入同身寸之五分若灸者可灸三壯意舍在十一椎下兩傍正坐取之刺可入同身寸之五分若灸者可灸三壯志室在十四椎下兩傍正坐取之刺可入同身寸之五分若灸者可灸三壯是所謂此經之五十九刺法也若鍼經所指五十九刺則殊与此經不同鍼俱治熱病之要穴然合用之理全向背猶當以病候形證所應經法即隨所證而刺之

熱病始手臂痛者刺手陽明太陰而汗出止

手臂痛列缺主之列缺者手太陰之絡去腕上同身

寸之二寸半別走陽明者也刺可入同身寸之三分留三呼若灸者可灸五壯欲出汗商陽主之商陽者手陽明脉之井在手大指次指內側去爪甲角如韭葉手陽明脉之所出也刺可入同身寸之一分若灸者可灸一壯熱病始於頭首者刺項太陽而汗出止天柱主之天柱在俠項後髮際大筋外廉陷者中足太陽脉氣所發刺可入同身寸之二分留六呼若灸者可灸三壯熱病始於足脛者刺足陽明而汗出止新校正云按此條素問本无大素亦无今校甲乙經添入熱病先身重骨痛耳聾好瞑刺足少陰據經无正主穴當補寫井滎亦〇新校正云按靈樞經熱病而身重骨痛耳聾而好瞑取之骨以第四針索骨於不得索之土土脾也病甚爲五十九刺如古法熱病先眩冒而熱背脇滿刺足少陰少陽亦并滎也大陽之脉色榮

顴骨熱病也榮飾也謂赤色見於顴骨如榮飾也顴骨謂目下當外眥也大陽合火故見色赤赤○新校正云按楊上善云赤色榮顴者骨熱病也与王氏注不同榮未交新校正云按甲乙經太素作榮未夭下文榮未交亦作夭曰今且得汗待時而已榮一爲營字之誤也曰者引古經法之端由也言色雖明盛但陰陽之氣不交錯者故法云今且得汗之而已待時者謂肝病待甲乙心病待丙丁脾病待戊己肺病待庚辛腎病待壬癸是謂待時而已所謂交者次如下句與厥陰脉爭見者死期不過三日外見大陽之赤色內應厥陰之弦脉然大陽受病當傳入陽明今反厥陰之脉來見者是土敗而木賊之也故死然土氣已敗木復狂行木主數三故期不過三日其熱病內連腎少陽之脉色也病或爲氣恐字誤也若赤色氣內連鼻兩傍者是少陽之脉色非厥陰色何者腎部近於鼻兩傍也○新校正云詳或者欲改腎作鼻按

甲乙經太素並作腎楊上善云太陽水也厥陰木也水以生木木盛水衰故太陽水色見時有木爭見者水死以其熱病內連於腎腎為熱傷故死本旧无少陽之脉色也六字乃王氏所添王注非當從上善之義

少陽之脉色榮頰前熱病也

頰前即顴骨下近鼻兩傍也○新校正云按甲乙經太素前字作筋楊上善云足少陽部在頰赤色榮之即知筋熱病也

榮未交曰今且得汗待時而已與少陰脉爭見者死期不過三日

少陽受病當傳入於大陰今反少陰少陰脉來見亦土賊而木賊之也故死不過三日亦木之數然○新校正云詳或者欲改少陰作厥陰按甲乙經太素作少陰楊上善云少陽為木少陰為水少陽色見之時有少陰爭見是母勝子故木死王作此注亦非舊本及甲乙經太素並无死期不過三日六字此是王氏足成此文也

熱病氣穴三椎下間主胷中熱四椎下間主

鬲中熱五椎下間主肝熱六椎下間主脾熱七椎下間主腎熱榮在骶也脊節之謂椎脊窮之謂骶言腎熱之氣外通尾骶也尋此文椎間所主神藏之熱又不正當其藏俞而云主療在理未詳項上三椎陷者中也此舉數脊之大法也言三椎下間主胸中熱者何以數之言皆當以陷者中爲氣發之所也頰下逆顴爲大瘕下牙車爲腹滿顴後爲脇痛頰上者鬲上也此所以候面部之色發明腹中之病診

○評熱病論篇第三十三新校正云按全元起本在第五卷

黄帝問曰有病溫者汗出輒復熱而脉躁疾不爲汗衰狂言不能食病名爲何岐伯對曰病名陰陽交交者死也交謂交合陰陽之氣不分別也帝曰願聞其

説岐伯曰人所以汗出者皆生於穀穀生於精言穀氣化爲精精氣勝乃爲汗今邪氣交爭於骨肉而得汗者是邪却而精勝也言初汗也精勝則當能食而不復熱復熱者邪氣也汗者精氣也今汗出而輙復熱者是邪勝也不能食者精無俾也無俾言必可使爲汗也穀不化則精不生精不化流故無可使病而留者其壽可立而傾也如是者若汗出疾速留著而不去則其人壽命立致傾危也○新校正云詳病而留者按王注病當作疾又按甲乙經作而熱留者且夫熱論曰汗出而脉尚躁盛者死熱論謂上古熱論也凡汗後脉當遲靜而反躁急以盛滿者是真氣竭而邪盛故知必死也今脉不與汗相應此不勝其病也其

死明矣脉不静而躁盛是不相應狂言者是失志失志者死志舍於精今精无可使是志无所居志不留居則失志也今見三死不見一生雖愈必死也汗出脉躁盛一死不勝其病二死狂言失志者三死也帝曰有病身熱汗出煩滿煩滿不為汗解此為何病岐伯曰汗出而身熱者風也汗出而煩滿不解者厥也病名曰風厥帝曰願卒聞之岐伯曰巨陽主氣故先受邪少陰與其為表裏也得熱則上從之從之則厥也上從之謂少陰隨從於太陽而上也帝曰治之柰何岐伯曰表裏刺之飲之服湯謂寫太陽補少陰也飲之湯者謂止逆上之腎氣也帝曰勞風為病何如岐伯曰

勞風法在肺下從勞風生故曰勞風勞謂腎勞也腎脉者從腎上貫肝鬲入肺中故腎勞風生上居肺下也其爲病也使人強上冥視新校正云按楊上善云強上好仰也冥視謂合眼視不明也又千金方冥視作目眩唾出若涕惡風而振寒此爲勞風之病膀胱脉起於目內眥上額交巔上入絡腦還出別下項循肩髆內俠脊抵腎中入循膂絡腎今腎精不足外吸膀胱膀胱氣不能上營故使人頭項強而視不明也肺被風薄勞氣上熏故令唾出若鼻涕狀腎氣不足陽氣內攻勞熱相合故惡風而振寒帝曰治之柰何岐伯曰以救俛仰救猶止也俛仰謂屈伸也言止屈伸故動作不使勞氣滋蔓巨陽引精者三日中年者五日不精者七日新校正云按甲乙經作三日中若五日千金方作候之三日及五日中不精明者是也与此不同欬出青黃涕其

狀如膿，大如彈丸，從口中若鼻中出，不出則傷肺，傷肺則死也。巨陽者膀胱之脉也，膀胱與腎爲表裏，故巨陽引精也。巨，大也。然大腸之脉吸引精氣上攻於肺者，三日中年者五日，素不以精氣用事也，七日當欬出稠涕，其色青黃如膿狀，平調欬者從咽而上出於口，暴卒欬者氣衝突於蓄門而出於鼻，夫如是者皆腎氣勞竭，肺氣內虛，陽氣奔迫之所爲，故不出則傷肺也。肺傷則榮衛散解，魄不內治，故死。○新校正云：按王氏云卒暴欬者氣衝突於蓄門而出於鼻，按難經云衝門既蓄門之名，疑是賁門。楊操云：賁者鬲也，胃氣之所出，胃出谷氣以傳於肺，肺在鬲上，故胃爲賁門。帝曰：有病腎風者，面胕痝然壅，害於言，可刺不？痝然，腫起貌。壅謂目下壅，如卧蠶形也。腎之脉從腎上貫肝鬲，入肺中，循喉嚨，俠舌本，故妨害於言語。痝，莫江切。岐伯曰：虛不當刺，不當刺而刺，後五日其氣必至至謂病氣來至也然謂藏配一日而五日至腎夫腎已不足風内薄之謂腫爲實以鍼大泄反傷藏氣真氣不足不可復故刺後五日其氣必至也帝曰其至何如歧伯曰至必少氣時熱時熱從胷背上至頭汗出手熱口乾苦渴小便黄目下腫腹中鳴身重難以行月事不來煩而不能食不能正偃正偃則欬病名曰風水論在刺法中刺法篇名今亡帝曰願聞其說歧伯曰邪之所湊其氣必虚陰虚者陽必湊之故少氣時熱而汗出也小便黄者少腹中有熱也不能正偃者胃中不和也正偃則欬甚上迫肺也諸有水氣者微腫先見於目

下也帝曰何以言歧伯曰水者陰也目下亦陰也腹者至陰之所居故水在腹者必使目下腫也真氣上逆故口苦舌乾卧不得正偃正偃則欬出清水也諸水病者故不得卧卧則驚驚則欬甚也腹中鳴者病本於胃也薄脾則煩不能食食不能下者胃脘隔也身重難以行者胃脉在足也月事不來者胞脉閉也胞脉者屬心而絡於胞中今氣上迫肺心氣不得下通故月事不來也考上文所釋之義素不解熱從胷背上至頭汗出手熱口乾苦渴之義應古論簡脫而此差謬之亦如是者何腎少陰之脉從腎上貫肝鬲入肺中循喉嚨俠舌本又膀胱大陽

之脉從目內眥上額交巔上其支者從巔至耳上角其直者從巔入絡腦還出別下項循肩髆內挾脊抵腰中入循膂今陰不足而陽有餘故熱從腎背上至頭而汗出口乾苦渴也然心者陽藏也其脉行於臂手腎者陰藏也其脉循於腎足腎不足則心氣有餘故手熱矣又以心腎之脉俱是少陰脉也帝曰善

○逆調論篇第三十四 新校正云按全元起本在第四卷

黃帝問曰人身非常溫也非常熱也爲之熱而煩滿者何也 異於常候故曰非常○新校正云按甲乙經無爲之熱三字 岐伯對曰陰氣少而陽氣勝故熱而煩滿也帝曰人身非衣寒也中非有寒氣也寒從中生者何 言不知誰爲元主邪 岐伯曰是人多痹氣也陽氣少陰氣

多故身寒如從水中出言自由形氣陰陽之為是非衣寒而中有寒也

帝曰人有四支熱逢風寒如炙如火者何也新校正云按全元起本无如火二字太素云如炙於火當從太素云岐伯曰是人者陰氣虛陽氣盛四支者陽也兩陽相得而陰氣虛少少水不能滅盛火而陽獨治獨治者不能生長也獨勝而止耳水為陰火為陽今陽氣有餘陰氣不足故云少水不能滅盛火也治者王也勝者盛也故云独勝而止逢風而如炙如火者是人當肉爍也爍者言消也言久久此人當肉消削也○新校正云詳如炙如火當從太素作如炙於火

帝曰人有身寒湯火不能熱厚衣不能溫然不凍慄是為何病岐伯曰是人者素

腎氣勝以水爲事太陽氣衰腎脂枯不長一水不能勝兩火腎者水也而生於骨腎不生則髓不能滿故寒甚至骨也以水爲事言盛欲也所以不能凍慄者肝一陽也心二陽也腎孤藏也一水不能勝二火故不能凍慄病名曰骨痺是人當攣節也腎不生則髓不滿髓不滿則筋乾縮故節攣拘帝曰人之肉苛者雖近於衣絮猶尚苛也是謂何疾苛謂𤸇重音胡歌切岐伯曰榮氣虛衛氣實也榮氣虛則不仁衛氣虛則不用榮衛俱虛則不仁且不用肉如故也人身與志不相有曰死身用志不應志爲身不親兩者似不相有也○新校正云

經甲乙經曰死作三十日死也帝曰人有逆氣不得卧而息有音者有不得卧而息無音者有起居如故而息有音者有得卧行而喘者有不得卧不能行而喘者有不得卧卧而喘者皆何藏使然願聞其故岐伯曰不得卧而息有音者是陽明之逆也足三陽者下行今逆而上行故息有音也陽明者胃脉也胃者六府之海水穀海也其氣亦下行陽明逆不得從其道故不得卧也下經曰胃不和則卧不安此之謂也下經上古經也夫起居如故而息有音者此肺之絡脉逆也絡脉不得隨經上下

故留經而不行絡脉之病人也微故起居如故而息有音也夫不得卧卧則喘者是水氣之客也夫水者循津液而流也腎者水藏主津液主卧與喘也帝曰善尋經所解之旨不得卧而息无音有得卧行而喘有不得卧不能行而喘此三義悉闕而未論亦古之脱簡也

新刊黄帝内經素問卷第九

新刊黃帝內經素問卷第十

啓玄子次註林億孫奇高保衡等奉敕校正孫兆重改誤

瘧論　刺瘧篇

氣厥論　欬論

○瘧論篇第三十五 新校正云按全元起本在第五卷

黃帝問曰夫痎瘧皆生於風其蓄作有時者何也痎猶老也亦瘦也○新校正云按甲乙經云夫瘧疾者皆生於風其以日作以時發何也与此文異大素同今文揚上善云痎有云二日一發爲痎瘧此經但夏傷於暑至秋爲病或云痎瘧或但云瘧不必以日發間日以定痎也但應四時其形有異以爲痎尔已岐伯對曰瘧之始發也先起於毫毛伸欠乃作寒慄

鼓頷慄謂戰慄鼓謂振動腰脊俱痛寒去則內外皆熱頭痛如破渴欲冷飲帝曰何氣使然願聞其道岐伯曰陰陽上下交爭虛實更作陰陽相移也陽氣者下行極而上陰氣者上行極而下故曰陰陽上下交爭也陽虛則外寒陰虛則內熱陽盛則外熱陰盛則內寒由此寒去熱生則虛實更作陰陽之氣相移易也陽并於陰則陰實而陽虛陽明虛則寒慄鼓頷也陽并於陰言陽氣入於陰分也陽明胃脈也胃之脈自交承漿却分行循頤後下廉出大迎其支別者從大迎前下人迎故氣不足則惡寒戰慄而頷振動也巨陽虛則腰脊頭項痛巨陽者膀胱脈其脈從頭別下項循肩髆內俠脊抵腰中故氣不足則腰脊頭項痛也髆音博三陽俱虛則陰氣勝陰氣勝則骨寒而痛寒生

於內故中外皆寒陽盛則外熱陰虛則內熱外內皆熱則喘而渴故欲冷飲也〔熱傷氣故內外皆熱則喘而渴〕此皆得之夏傷於暑熱氣盛藏於皮膚之內腸胃之外此滎氣之所舍也〔腸胃之外滎氣所主故云滎氣所舍也舍猶居也〕此令人汗空踈〔新校正云按全元起本作汗出空踈甲乙經太素同〕腠理開因得秋氣汗出遇風及得之以浴水氣舍於皮膚之內與衛氣并居衛氣者晝日行於陽夜行於陰此氣得陽而外出得陰而內薄內外相薄是以日作〔作發作也〕帝曰其間日而作者何也〔間日謂隔日也〕岐伯曰其氣之舍深內薄於陰陽氣

獨發陰邪內著陰與陽爭不得出是以間日而
作也不与衛氣相逢會故隔日發也帝曰善其作日晏與其日
早者何氣使然晏猶暮也岐伯曰邪氣客於風府
循膂而下風府穴名在項上入髮際同身寸之二寸大筋內宛宛中也膂謂脊兩傍
衛氣一日一夜大會於風府其明日日下一節
故其作也晏此先客於脊背也每至於風府則
腠理開腠理開則邪氣入邪氣入則病作以此
日作稍益晏也節謂脊骨之節然邪氣遠則逢會遲故發暮也其出於
風府日下一節二十五日下至骶骨二十六日
入於脊內注於伏膂之脉項已下至尾骶凡二十四節故日下一節

二十五日下至骶骨二十六日入於脊内注於伏膂之脉也伏膂之脉者謂膂筋之間腎脉之伏行者也腎之脉循股内後廉貫脊屬腎其直行者從腎上貫肝鬲入肺中以其貫脊又不正應行犯但循膂伏行故謂之伏膂脉○新校正云按全元起本二十五日作二十一日二十六日作二十二日甲乙經大素並同伏膂之脉甲乙經作大衝之脉巢元方作伏衝其氣上行九日出於缺盆之中其氣日高故作日益早也以腎脉貫脊屬腎上入肺中肺者缺盆為之道其氣之行速故其氣上行九日出於缺盆之中其間日發者由邪氣内薄於五藏橫連募原也其道遠其氣深其行遲不能與衛氣俱行不得皆出故間日乃作也募原謂鬲募之原系○新校正云按全元起本募作膜大素巢元方並同舉痛論亦作膜原帝曰夫子言衛氣每

至於風府腠理乃發發則邪氣入入則病作今衛氣日下一節其氣之發也不當風府其日作者柰何岐伯曰新校正云按全元起本及甲乙經太素自此邪氣客於頭項至下則病作故八十八字並無此邪氣客於頭項循膂而下者也故虛實不同邪中異所則不得當其風府也故邪中於頭項者氣至頭項而病中於背者氣至背而病中於腰脊者氣至腰脊而病中於手足者氣至手足而病隨下篇各以居邪之所而刺之衛氣之所在與邪氣相合則病作故風無常府衛氣之所發必開其腠理邪氣之所合則其府也虛實不同邪中

異所衛邪相合病則發焉不必悉當風府而發作也○新校正云按甲乙經巢元方則其府也作其病作帝曰善夫風之與瘧也相似同類而風獨常在瘧得有時而休者何也風瘧皆有盛衰故云相似同類岐伯曰風氣留其處故常在瘧氣隨經絡沉以內薄新校正云按甲乙經作次以內傳故衛氣應乃作留謂留止隨謂隨從帝曰瘧先寒而後熱者何也岐伯曰夏傷於大暑其汗大出腠理開發因遇夏氣淒滄之水寒新校正云按甲乙經大素水寒作小寒迫之藏於腠理皮膚之中秋傷於風則病成矣暑為陽氣中風者陽氣受之故秋傷於風則病成矣夫寒者陰氣也風者陽氣也先傷於寒而後傷於

風故先寒而後熱也病以時作名曰寒瘧瘧形瘧昌則風寒傷之帝曰先熱而後寒者何也岐伯曰此先傷於風而後傷於寒故先熱而後寒也亦以時作名曰溫瘧以其先熱故謂之溫其但熱而不寒者陰氣先絶陽氣獨發則少氣煩冤手足熱而欲嘔名曰癉瘧癉熱也極熱爲之也癉徒干切帝曰夫經言有餘者寫之不足者補之今熱爲有餘寒爲不足夫瘧者之寒湯火不能溫也及其熱冰水不能寒也此皆有餘不足之類當此之時良工不能止必須其自衰乃刺之其故何也願聞其說言何暇不早使其盛

極而自止乎歧伯曰經言無刺熇熇之熱新校正云按全元起本及太素熱作氣熇火沃切無刺渾渾之脉無刺漉漉之汗故爲其病逆未可治也熇熇盛熱也渾渾言无端緒也漉漉言汗大出也漉音鹿夫瘧之始發也陽氣并於陰當是之時陽虛而陰盛外無氣故先寒慄也陰氣逆極則復出之陽陽與陰復并於外則陰虛而陽實故先熱而渴陰盛則胃寒故先寒戰慄陽盛則胃熱故先熱欲飲也夫瘧氣者并於陽則陽勝并於陰則陰勝陰勝則寒陽勝則熱瘧者風寒之氣不常也病極則復復謂復舊也言其氣發至極還復如舊至新校正云按甲乙經作瘧者風寒之暴氣不常病極則復至全

[元起本及太素作瘧風寒氣也不常病極則復至至字連上句與王氏之意異]病之發也如火之熱如風雨不可當也[以其盛熾故不可當也]故經言曰方其盛時必毀[新校正云按大素云勿敢必毀]因其衰也事必大昌此之謂也[方正也正盛寫之或傷眞氣故必毀病氣衰已補其經氣則邪氣弭退正氣安平故必大昌也]夫瘧之未發也陰未并陽陽未并陰因而調之眞氣得安邪氣乃亡[所寫必中所補必當故眞氣得安邪氣乃亡也]故工不能治其已發爲其氣逆也[眞氣寢息邪氣大行眞不勝邪是爲逆也]帝曰善攻之奈何早晏何如岐伯曰瘧之且發也陰陽之且移也必從四末始也陽已傷陰從之故先其時堅束

其衂令邪氣不得入陰氣不得出審候見之在孫絡盛堅而血者皆取之此眞往而未得并者也言牢縛四支令氣各在其處則邪所居處必自見之既見之則刺出其血爾往猶去也○新校正云按甲乙經眞往作其往大素作直往帝曰瘧不發其應何如岐伯曰瘧氣者必更盛更虛當氣之所在也病在陽則熱而脉躁在陰則寒而脉靜陰靜陽躁故脉亦隨之極則陰陽俱衰衛氣相離故病得休衛氣集則復病也相薄至極物極則反故極則陰陽俱衰帝曰時有間二日或至數日發或渴或不渴其故何也岐伯曰其間日者邪氣與衛氣客於六府而有時相失

不能相得故休數日乃作也氣不相會故數日不能發也瘧者陰陽更勝也或甚或不甚故或渴或不渴陽勝陰甚則渴陽勝陰不甚則不渴也勝謂強盛於彼之氣也帝曰論言夏傷於暑秋必病瘧新校正云按生氣通天論并陰陽應象大論二論俱云夏傷於暑秋必痎瘧今瘧不必應者何也言不必皆然岐伯曰此應四時者也其病異形者反四時也其以秋病者寒甚秋氣清涼陽氣下降熱藏肌肉故寒甚也以冬病者寒不甚冬氣嚴烈陽氣伏藏不與寒爭故寒不甚以春病者惡風春氣溫和陽氣外泄內腠開發故惡於風以夏病者多汗夏氣暑熱津液充盈外泄皮膚故多汗也帝曰夫病溫瘧與寒瘧而皆安舍舍於何藏安何也舍

居止也。藏謂五神藏也。岐伯曰：溫瘧得之冬中於風寒，氣藏於骨髓之中，至春則陽氣大發，邪氣不能自出，因遇大暑，腦髓爍，肌肉消，腠理發泄，或有所用力，邪氣與汗皆出。此病藏於腎，其氣先從內出之於外也。腎主於冬，冬主骨髓，腦爲髓海，上下相應，厥熱上熏，故腦髓銷爍，銷爍則熱氣外薄，故肌肉減削，而病藏於腎也。如是者，陰虛而陽盛，陽盛則熱矣，陰虛謂腎藏氣虛，陽盛謂膀胱太陽氣盛。衰則氣復反入，入則陽虛，陽虛則寒矣，故先熱而後寒，名曰溫瘧。衰謂病衰退也。復反入，謂入腎陰脈中。帝曰：癉瘧何如？岐伯曰：癉瘧者，肺素有熱，氣盛於身，厥逆上衝，中氣實而而不外泄因有所用力腠理開風寒舍於皮膚之内分肉之間而發發則陽氣盛陽氣盛而不衰則病矣其氣不及於陰新校正云按全元起本及太素作不反之陰巢元方作不及之陰故但熱而不寒氣内藏於心而外舍於分肉之間令人消爍脱肉故命曰癉瘧帝曰善

○刺瘧篇第三十六新校正云按全元起本在第六卷

足太陽之瘧令人腰痛頭重寒從背起足太陽脉從巔入絡腦還出别下項循肩髆内俠脊抵腰中其支别者從髆内左右别下貫胂過髀樞故令腰痛頭重寒從背起○新校正云按三部九候論注貫胂作貫臀刺腰痛注亦作貫臀厥論注作

貫腨甲乙經作貫腨先寒後熱熇熇暍暍然熇熇甚熱狀暍暍亦熱盛也太陽不足故先寒寒極則生熱故後熱也暍音謁熱止汗出難已熱止是為氣虛熱止則為氣復氣復而汗反出此為邪氣盛而真不勝故難已○新校正云按全元起本并甲乙經大素巢元方並作先寒後熱渴渴止汗出与此文異刺郄中出血太陽之郄是謂金門金門在足外踝下一名曰關梁陽維所別屬也刺可入同身寸之三分若灸者可灸三壯黃帝中誥圖經云委中主之則古法以委中為郄中也委中在膕中央約文中動脈足太陽脈之所入也刺可入同身寸之五分留七呼若灸者可灸三壯○新校正云詳刺郄中甲乙經作膕中今王氏兩注之當以膕中為正也足少陽之瘧令人身體解㑊身躰解㑊次如下句寒不甚熱不甚陽氣未盛故令其然惡見人見人心惕惕然膽與肝合肝虛則其邪薄其氣故惡見人見人心惕

陽然也熱多汗出甚邪盛則熱多中風故汗出刺足少陽俠谿主之俠谿在足小指次指歧骨間本節前陷者中少陽之滎刺可入同身寸之三分留三呼若灸者可灸三壯足陽明之瘧令人先寒洒淅洒淅寒甚久乃熱熱去汗出喜見日月光火氣乃快然陽虛則外先寒陽虛極則復盛故寒甚久乃熱熱去汗出已陰又內強陽不勝陰故喜見日月光火氣乃快然也刺足陽明跗上衝陽穴也在足跗上同身寸之五寸骨間動脉上去陷谷同身寸之三寸陽明之原刺可入同身寸之三分留十呼若灸者可灸三壯跗音付足太陰之瘧令人不樂好大息心氣流於肺則喜今脾藏受病心母救之火氣下入於脾不上行於肺又大陰脉支別者復從胃上鬲注心中故令人不樂好大息也不嗜食多寒熱汗出脾主化穀營助四傍今邪薄之諸藏無稟土寄

四季王則邪氣交爭故不嗜食多寒熱而汗出○新校正云按甲乙經云多寒少熱病至則善嘔嘔已乃衰足太陰脈入腹屬脾絡胃上鬲俠咽故病氣來至則嘔嘔已乃衰退也即取之待病衰去即而取之其言衰即取之井俞及公孫也公孫在足大指本節後同身寸之一寸太陰絡也刺可入同身寸之四分留七呼若灸者可灸三壯足少陰之瘧令人嘔吐甚多寒熱熱多寒少足少陰脈貫肝鬲入肺中循喉嚨故嘔吐甚多寒熱也腎為陰藏陰氣生寒今陰氣不足故熱多寒少○新校正云按甲乙經云嘔吐甚多寒少熱也欲閉戶牖而處其病難已胃陽明脈病欲獨閉戶牖而處今謂胃土病證反見腎水之中土刑於水故其病難已也太鍾太谿悉主之太鍾在足內踝後街中少陰絡也刺可入同身寸之二分留七呼若灸者可灸三壯太谿在足內踝後跟骨上動脈陷者中少陰俞也刺可入同身寸之三分留七呼若灸

者可灸三壯○新校正云按甲乙經云其病難
已取太谿又按太鍾穴甲乙經作跟後衝中刺
腰痛篇注作跟後衝中動脉水穴注云在內踝
後此注云內踝後衝中諸注不同當以甲乙經
爲正足厥陰之瘧令人腰痛少腹滿小便不利如
癃狀非癃也數便意恐懼氣不足腹中悒悒足厥
陰脉循股陰入髦中環陰器抵少腹故病如是
癃謂不得小便也悒悒不暢之貌○新校正云
按甲乙經數便意三字作數噫二字悒於急切刺足厥陰太衝主之在
足大指本節
後同身寸之二寸陷者中厥陰俞也刺可入同
身寸之三分留十呼若灸者可灸三壯○新校
正云按刺腰痛篇注云在肺瘧者令人心寒寒
本節後內間動脉應手
甚熱熱間善驚如有所見者刺手太陰陽明列缺
主之列缺在手腕後同身寸之一寸半手大陰
絡也刺可入同身寸之三分留三呼若灸者可

灸五壯陽明穴合谷主之合谷在手大指次指岐骨間手陽明脉之所過也刺可入同身寸之三分留六呼若灸者可灸三壯心瘧者令人煩心甚欲得清水反寒多不甚熱刺手少陰神門主之神門在掌後鋭骨之端陷者中手少陰俞也刺可入同身寸之三分留七呼若灸者可灸三壯○新校正云按大素云欲得清水及寒多寒不甚熱甚肝瘧者令人色蒼蒼然太息其狀若死者刺足厥陰見血中封主之中封在足內踝前同身寸之一寸半陷者中仰足而取之伸足乃得之足厥陰經也刺出血止常刺者可入同身寸之四分留七呼若灸者可灸三壯脾瘧者令人寒腹中痛熱則腸中鳴鳴已汗出刺足太陰商丘主之商丘在足內踝下微前陷者中足大陰經也刺可入同身寸之三分留七呼若灸者可灸三壯腎瘧者令人洒洒然

腰脊痛宛轉大便難目䀮䀮然手足寒刺足太陽少陰大鍾主之取如前足少陰瘧中法胃瘧者令人且病也善飢而不能食食而支滿腹大胃熱脾虚故善飢而不能食食而支滿䐜大也是以下文兼刺太陰○新校正云按大素且病作疽病刺足陽明太陰橫脈出血厲兌解谿三里主之厲兌在足大指次指之端去爪甲如韭葉陽明井也刺可入同身寸之一分留一呼若灸者可灸一壯解谿在衝陽後同身寸之三寸半腕上陷者中陽明經也刺可入同身寸之五分留五呼若灸者可灸三壯三里在膝下同身寸之三寸胻骨外廉兩筋肉分間陽明合也刺可入同身寸之一寸留七呼若灸者可灸三壯然足陽明取此三穴足太陰刺其橫脈出血也橫脈謂足內踝前斜過大脈則太陰之經脈也○新校正云詳解谿在衝陽後三寸半按甲乙經一寸半氣穴論注二寸半瘧發身方

熱刺跗上動脉則陽明之脉也開其空出其血立寒陽明之脉多血多氣熱盛氣壯故出其血而立可寒也瘧方欲寒刺手陽明太陰足陽明太陰亦謂開穴而出其血也當隨井俞而刺之也瘧脉滿大急刺背俞用中鍼傍五胠俞各一適肥瘦出其血也瘦者淺刺少出血肥者深刺多出血背俞謂大杼五胠俞謂譩譆胠去[illegible]切瘧脉小實急灸脛少陰刺指井灸脛少陰是謂復溜復溜在內踝上同身寸之二寸陷者中足少陰經也刺可入同身寸之三分留三呼若灸者可灸五壯刺指井謂刺至陰至陰在足小指外側去爪甲角如韭葉足太陽井也刺可入同身寸之一分留五呼若灸者可灸三壯瘧脉滿大急刺背俞用五胠俞背俞各一適行於血也謂調適肥瘦穴度深淺循三備法而行鍼令至

於血脉也謂大杼五胠俞謂譩譆主之。新校正云詳此條從瘧脉滿大至此注總文注共五十五字當從删前經文與次前經文重複王氏隨而注之別无義例不若士安之精審不複出也

瘧脉緩大虛便用藥不宜用針緩者中風大為氣實虛者血虛血虛氣實則又攻之故宜藥治以遣其邪不宜針寫而出血也凡治瘧先發如食頃乃可以治過之則失時也先其發時真邪異居波隴不起故可治過時則真邪相合攻之則反傷真氣故曰失時。新校正云詳從前瘧脉滿大至此全元起本在第四卷中王氏移續於此也

諸瘧而脉不見刺十指間出血血去必已先視身之赤如小豆者盡取之十二瘧者其發各不同時察其病形以知其何脉之病也隨其形證而病脉可知先其發時如食頃而

刺之一刺則衰二刺則知三刺則巳不巳刺舌下兩脉出血釋具下文不巳刺郄中盛經出血又刺項巳下俠脊者必巳並足太陽之脉氣也郄中則委中也俠脊者謂大杼風門熱府穴也大杼在項第一椎下兩傍相去各同身寸之一寸半陷者中刺可入同身寸之三分留七呼若灸者可灸五壯風門熱府在第二椎下兩傍各同身寸之一寸半刺可入同身寸之五分留七呼若灸者可灸五壯○新校正云詳大杼穴灸五壯按甲乙經作七壯氣穴論注作七壯刺熱及熱穴注作五壯舌下兩脉者廉泉也廉泉穴名在頷下結喉上舌本下陰維任脉之會刺可入同身寸之三分留三呼若灸者可灸三壯刺瘧者必先問其病之所先發者先刺之先頭痛及重者先刺頭上及兩額兩眉間出血頭上謂上星百會顖

頞謂懸顱兩眉間謂攢竹等穴也先項背痛者先刺之項風池風府主之背大杼神道主之先腰脊痛者先刺郄中出血先手臂痛者先刺手少陰陽明十指間新校正云按別本作手陰陽全本亦作手陰陽先足脛痠痛者先刺足陽明十指間出血各以邪居之所以脫寫之風瘧瘧發則汗出惡風刺三陽經背俞之血者三陽太陽也○新校正云按甲乙經云足三陽胻痠痛甚按之不可名曰胕髓病以鑱鍼鍼絕骨出血立已陽輔穴也取如氣穴論中府俞法胕洪付切鑱鋤銜切身體小痛刺至陰新校正云按甲乙經無至陰二字諸陰之井無出血間日一刺諸井皆在指端足少陰井在足心宛宛中瘧不渴間日而作刺

足太陽新校正云：按九卷云足陽明，太素同。渴而間日作，刺足少陽新校正云：按九卷云手少陽，太素同。溫瘧汗不出，為五十九刺。自胃瘧下至此，尋黃帝中誥圖經所主，或有不與此文同，應古之別法也。

○氣厥論篇第三十七新校正云：按全元起本在第九卷，與厥論相併。

黃帝問曰：五藏六府寒熱相移者何？岐伯曰：腎移寒於肝，癰腫少氣。肝藏血，然寒入則陽氣不散，陽氣不散則血聚氣澀，故為癰腫，又為少氣也。○新校正云：按全元起本云腎移寒於脾，元起注云：腎傷於寒而傳於脾，脾主肉，寒生於肉則結為堅，堅化為膿，故為癰也。血傷氣少，故曰少氣。甲乙經亦作移寒於脾。王因誤本，遂解為肝，亦智者之一失也。脾移寒於肝，癰腫筋攣。脾藏主肉，肝藏主筋，肉溫則筋舒，肉冷則筋急，故筋攣也。肉寒則衛氣結聚，故為癰腫。肝移寒於心狂隔中心爲陽藏神處其中寒薄之則神亂離故狂也陽氣與寒相薄故隔塞而中不通也心移寒於肺肺消肺消者飲一溲二死不治心爲陽藏反受諸寒寒氣不消乃移於肺寒隨心火內爍金精金受火邪故中消也然肺藏消鑠氣無所持故令飲一而溲二也金火相賊故死不能治肺移寒於腎爲涌水涌水者按腹不堅水氣客於大腸疾行則鳴濯濯如囊裹漿水之病也肺藏氣腎主水夫肺寒入腎腎氣有餘腎氣有餘則上奔於肺故云涌水也大腸爲肺之府然肺腎俱爲寒薄上下皆无所之故水氣客於大腸也腎受凝寒不能化液大腸積水而不流通故其疾行則腸鳴而濯濯有声如囊裹漿水而爲水病也○新校正云按甲乙經水之病也作治主肺者脾移熱於肝則爲驚衄肝藏血又主驚故熱薄之則驚而鼻中血出肝移熱

於心則死兩陽和合火木相播故肝熱入心則當死也陰陽別論曰肝之心謂之生陽生陽之屬不過四日而死○新校正云按陰陽別論之文義與此殊王氏不當引彼誤文附會此義心移熱於肺傳為鬲消心肺兩間中有斜鬲膜鬲膜下際內連於橫鬲膜故心熱入肺久久傳化內為鬲熱消渴而多飲也肺移熱於腎傳為柔痓柔謂筋柔而無力痓謂骨痓而不隨氣骨皆熱髓不內充故骨痓強而不舉筋柔緩而無力也痓音熾腎移熱於脾傳為虛腸澼死不可治脾土制水腎反移熱以與之是脾土不能制水而受病故久久傳為虛損也腸澼死者腎主下焦象水而冷今乃移熱是精氣內消下焦先主以守持故腸澼除而氣不禁止胞移熱於膀胱則癃溺血膀胱為津液之府胞為受納之司故熱入膀胱胞中外熱陰絡內溢故不得小便而溺血也正理論曰熱在下焦則溺血此之謂也膀胱移

熱於小腸鬲腸不便上爲口糜小腸脉絡心循咽下隔抵胃屬小腸故受熱以下令腸隔塞而不便上則口生瘡而糜爛也糜謂爛也糜武悲切小腸移熱於大腸爲虙瘕爲沉小腸熱已移入大腸兩熱相薄則血溢而爲伏瘕也血澁不利則月事沉滯而不行故云爲伏瘕爲沉也虙与伏同瘕一爲疝傳寫誤也大腸移熱於胃善食而瘦入謂之食亦胃爲水穀之海其氣外養肌肉熱消水穀又鑠肌肉故善食而瘦入也食亦者謂食入移易而過不生肌膚也亦易也新校正云按甲乙經入作又王氏注云善食而瘦入也殊爲無義不若甲乙經作又讀連下文胃移熱於膽亦曰食亦義同上膽移熱於腦則辛頞鼻淵鼻淵者濁涕下不止也腦液下滲則爲濁涕涕下不止如彼水泉故曰鼻淵也頞謂鼻頞也足太陽脉起於目內眥上頞交巔上入絡腦足

陽明脈起於鼻交頞中傍約太陽之脈今腦熱則足太陽逆與陽明之脈俱盛薄於頞中故鼻頞辛也辛謂酸痛故下交曰傳為衄衊瞑目以足陽明脈交頞中傍約太陽之脈故目熱盛則陽絡溢陽絡溢則衄出汗血也衊謂汗血也血出甚陽明太陽脈衰不能榮養於目故目瞑瞑暗也衊莫結切故得之氣厥也厥者氣逆也皆由氣逆而得之

○欬論篇第三十八新校正云按全元起本在第九卷

黃帝問曰肺之令人欬何也岐伯對曰五藏六府皆令人欬非獨肺也帝曰願聞其狀岐伯曰皮毛者肺之合也皮毛先受邪氣邪氣以從其合也邪謂寒氣其寒飲食入胃從肺脈上至於肺則

肺寒，肺寒則外內合邪，因而客之，則為肺欬。肺脉起於中焦，下絡大腸，還循胃口，上鬲屬肺，故云從肺脉上至於肺也。五藏各以其時受病，非其時，各傳以與之。時謂王月也，非王月則不受邪，故各傳以與之。人與天地相參，故五藏各以治時感於寒則受病，微則為欬，甚者為泄為痛。寒氣微則外應皮毛，內通肺，故欬。寒氣甚則入於內，內裂則痛，入於腸胃則泄痢。乘秋則肺先受邪，乘春則肝先受之，乘夏則心先受之，乘至陰則脾先受之，乘冬則腎先受之。以當用事之時，故先受邪氣。○新校正云：按全元起本及《太素》無"乘秋則"三字，疑此文誤多也。帝曰：何以異之？欲明其證也。岐伯曰：肺欬之狀，欬而喘息有音，甚則唾血肺藏氣而應息故欬則喘息而喉中有聲甚則肺絡逆故唾血也心欬之狀欬則心痛喉中介介如梗狀甚則咽腫喉痹手心主脈起於胸中出屬心包少陰之脈起於心中出屬心系其支別者從心系上挾咽喉故病如是○新校正云按甲乙經介介如梗狀作喝喝又少陰之脈上挾咽不言喉痹肝欬之狀欬則兩脇下痛甚則不可以轉轉則兩胠下滿足厥陰脈上貫鬲布脇肋循喉嚨之後故如是胠亦脇也脾欬之狀欬則右脇下痛陰陰引肩背甚則不可以動動則欬劇足太陰脈上貫鬲俠咽其支別者復從胃別上鬲故病如是也脾氣連肺故痛引肩背也脾氣主右故右胠下陰陰然深慢痛也〔劇〕音極腎欬之狀欬則腰背相引而痛甚則欬涎足少陰脈上股內後廉貫脊屬腎絡膀胱其直行者從腎

（上貫肝鬲入肺中循喉嚨俠舌本又膀胱脉從肩髆內別下俠脊抵腰中入循膂絡腎故病如是）帝曰六府之欬奈何安所受病岐伯曰五藏之久欬乃移於六府脾欬不已則胃受之胃欬之狀欬而嘔嘔甚則長蟲出（脾與胃合又胃之脉循喉嚨入缺盆下鬲屬胃絡脾故脾欬不已胃受之也胃寒則嘔嘔甚則腸氣逆上故蛕出蛕音回）肝欬不已則膽受之膽欬之狀欬嘔膽汁（肝與膽合又膽之脉從缺盆以下胷中貫鬲絡肝故肝欬不已膽受之也膽氣好逆故嘔溫苦汁也）肺欬不已則大腸受之大腸欬狀欬而遺失（肺與大腸合又大腸脉入缺盆絡肺故肺欬不已大腸受之大腸爲傳送之府故寒入則氣不禁焉○新校正云按甲乙經遺失作遺矢）心欬不已則小腸受之小腸欬狀欬

而失氣氣與欬俱失欬與小腸合又小腸欬入泄溢縮心欬心欬不已小腸受之小腸寒盛氣入大腸欬則小腸氣下奔故失氣也腎欬不已則膀胱受之膀胱欬狀欬而遺溺腎與膀胱合又膀胱脉從肩髆內俠脊抵腰中入循膂絡腎屬膀胱故腎欬不已膀胱受之膀胱為津液之府是故遺溺久欬不已則三焦受之三焦欬狀欬而腹滿不欲食飲此皆聚於胃關於肺使人多涕唾而面浮腫氣逆也三焦者非謂手少陽也正謂上焦中焦耳何者上焦者出於胃上口並咽以上貫膈布胸中走腋中焦者亦至於胃口出上焦之後此所受氣者泌糟粕蒸津液化其精微上注於肺脉乃化而為血故言皆聚於胃關於肺也兩焦受病則邪氣熏肺而肺氣滿故使人多涕唾而面浮腫氣逆也腹滿不欲食者胃寒故也胃脉者從缺盆下乳內廉下循腹至膀胱其小者

道從胃下口循腹裏至氣街中而合令胃受邪故病如是也何以明其不漏下焦然下焦者別於回腸注於膀胱故水穀者常并居於胃中盛糟粕而俱下於大腸泌別汁循下焦而滲入膀胱焉此行化乃與胃口懸遠故不謂此也。新校正云按甲乙經胃脉下循腹作下挾臍

帝曰治之奈何岐伯曰治藏者治其俞治府者治其合浮腫者治其經諸藏俞者皆脉之所起第三穴諸府合者皆脉之所起第六穴也經者藏脉之所起第四穴府脉之所起第五穴靈樞經曰脉之所注為俞所行為經所入為合此之謂也帝曰善

新刊黃帝內經素問卷第十

新刊黄帝内經素問卷第十一

啓玄子次註林億孫竒高保衡等奉勑校正孫兆重改誤

舉痛論　腹中論

刺腰痛篇

○舉痛論篇第三十九

新校正云：按全元起本在第三卷，名五藏舉痛。所以名舉痛之義未詳。按本篇乃黄帝問五藏卒痛之疾，疑舉乃卒字之誤也。

黄帝問曰：余聞善言天者，必有驗於人；善言古者，必有合於今；善言人者，必有厭於己。如此則道不惑而要數極，所謂明明也。善言天者，言天四時之氣，溫涼寒暑，生長收藏，在人形氣五藏參應，可驗而指示善惡，故曰必有驗於人。善言古者，謂言上古聖人養生損益之迹与今養生損益之理可合而与論成敗故曰必有合於今世善言人者謂言形骸骨節更相支柱筋脉束絡皮肉包裹而五藏六府次居其中假七神五藏而運用之氣絶神去則之於死是以知彼浮形不能堅久靜慮於己亦与彼同故曰必有厭於己也夫如此者是知道要數之極悉无疑惑深明至理而乃能然矣今余問於夫子令言而可知視而可見捫而可得令驗於己如發蒙解惑可得而聞乎言如發開童蒙之耳明於疑惑者之心令一一滌理而目視手循驗之可得捫循循也問也請示小起端也帝曰願聞人之五藏卒痛何氣使然岐伯對曰經脉流行不止環周不休寒氣入經而稽遲泣音澀而不行客於脉外則血少客於

脉中則氣不通故卒然而痛帝曰其痛或卒然而止者或痛甚不休者或痛甚不可按者或按之而痛止者或按之無益者或喘動應手者或心與背相引而痛者或脅肋與少腹相引而痛者或腹痛引陰股者或痛宿昔而成積者或卒然痛死不知人少間復生者或痛而嘔者或腹痛而後泄者或痛而閉不通者凡此諸痛各不同形別之奈何欲明異候之所起岐伯曰寒氣客於脉外則脉寒脉寒則縮踡縮踡則脉絀急絀急則外引小絡故卒然而痛得炅則痛立止脉左右環故得

寒則縮踡絀急縮踡絀急則衛氣不得流通故外引於小絡脈也衛氣不入寒內薄之脈急不縱故痛生也得熱則衛氣復行寒氣退辟故痛止炅熱也止已也絀丁骨反因重中於寒則痛久矣重寒難釋故痛久不消寒氣客於經脈之中與炅氣相薄則脈滿滿則痛而不可按也按之痛甚者其義具下文寒氣稽留炅氣從上則脈充大而血氣乱故痛甚不可按也脈既滿大血氣復乱按之則邪氣攻內故不可按也寒氣客於腸胃之間膜原之下血不得散小絡急引故痛按之則血氣散故按之痛止膜謂鬲間之膜原謂鬲肓之原血不得散謂鬲膜之中小絡脈內血也絡滿則急故牽引而痛生也手按之則寒氣散小絡緩故痛止寒氣客於侠脊之脈則深按之

不能及故按之無益也俠脊之脈者當中之督脈也次兩傍足大陽脈也督脈者循脊裏大陽者貫膂筋故深按之不能及也若按當中則脊即曲按兩傍則膂筋蹙合曲與蹙是合皆衛氣不得行過寒氣益聚而內畜故按之无益寒氣客於衝脈衝脈起於關元隨腹直上寒氣客則脈不通脈不通則氣因之故喘動應手矣衝脈奇經脈也關元穴名在臍下三寸言起自此穴即隨腹而上非生出於此也其本生出乃起於腎下也直上者謂行會於咽喉也氣因之謂衝脈不通足少陰氣因之上滿衝脈與少陰並行故喘動而應手也矣寒氣客於背俞之脈則血脈泣脈泣則血虛血虛則痛其俞注於心故相引而痛按之則熱氣至熱氣至則痛止矣背俞謂心俞脈亦足大陽脈也夫俞者皆內通於藏故曰

（其入則注於心相引而痛也按之則溫氣入溫氣入則心氣外發故痛止）寒氣客於厥陰之脉厥陰之脉者絡陰器繫於肝寒氣客於脉中則血泣脉急故脇肋與少腹相引痛矣（厥陰者肝之脉入髦中環陰器抵少腹上貫肝鬲布脇肋故曰絡陰器繫於肝脉急引脇與少腹痛也）厥氣客於陰股寒氣上及少腹血泣在下相引故腹痛引陰股（亦厥陰肝脉之氣也以其脉循陰股入毛中環陰器上抵少腹故曰厥氣客於陰股寒氣上及於少腹也）寒氣客於小腸膜原之間絡血之中血泣不得注於大經血氣稽留不得行故宿昔而成積矣（言血為寒氣之所凝結而乃成積）寒氣客於五藏厥逆上泄陰氣竭陽氣未入故卒

然痛死不知人氣復反則生矣言藏氣被寒擁胃而不行氣復得通則已也○新校正云詳注中擁胃疑作擁冒寒氣客於腸胃厥逆上出故痛而嘔也腸胃客寒留止則陽氣不得下流而反上行寒不去則痛生陽上行則嘔逆故痛而嘔也寒氣客於小腸小腸不得成聚故後泄腹痛矣小腸為受盛之府中滿則寒邪不居故不得結聚而傳下入於迴腸迴腸廣腸也為傳導之府物不得停留故後泄而痛熱氣留於小腸腸中痛癉熱焦渴則堅乾不得出故痛而閉不通矣熱滲津液故便堅也帝曰所謂言而可知者也視而可見奈何謂候色也岐伯曰五藏六府固盡有部謂面上之分部視其五色黃赤為熱中熱則色黃赤白為寒陽氣少血不上

榮於色故白青黑爲痛血凝泣則變恐故色青黑則痛此所謂視而可見者也帝曰捫而可得奈何捫摸也以手循摸也岐伯曰視其主病之脈堅而血及陷下者皆可捫而得也帝曰善余知百病生於氣也夫氣之爲用虛實逆順緩急皆能爲病故發此問端怒則氣上喜則氣緩悲則氣消恐則氣下寒則氣收炅則氣泄驚則氣亂新校正云按大素驚作憂勞則氣耗思則氣結九氣不同何病之生岐伯曰怒則氣逆甚則嘔血及飧泄新校正云按甲乙經及大素飧泄作食而氣逆故氣上矣怒則陽氣逆上而肝氣乘脾故甚則嘔血及飧泄也何以明其然怒則面赤甚則色蒼靈樞經曰盛怒而不止則傷志明怒則氣逆上而不下也

喜則氣和志達，榮衛通利，故氣緩矣。氣脉和調，故志達暢；榮衛通利，故氣徐緩。悲則心系急，肺布葉舉，而上焦不通，榮衛不散，熱氣在中，故氣消矣。布葉謂布蓋之大葉。○新校正云：按《甲乙經》及《太素》「而上焦不通」作「兩焦不通」。又王注「肺布葉舉」謂布蓋之大葉，疑非。全元起云：悲則損於心，心系急則動於肺，肺氣繫諸經，逆故肺布而葉舉。安得謂肺布為肺布蓋之大葉？恐則精却，却則上焦閉，閉則氣還，還則下焦脹，故氣不行矣。恐則陽精却上而不下流，故却則上焦閉也。上焦既閉，氣不行流，下焦陰氣亦還迴不散，而聚為脹也。然上焦固禁，下焦氣還，各守一處，故氣不行也。○新校正云：詳「氣不行」當作「氣下行」也。寒則腠理閉，氣不行，故氣收矣。腠謂津液滲泄之所，理謂文理逢會之中，閉謂密閉，氣謂衛氣，行謂流行，收謂收斂也。身寒則衛氣沉故皮膚文理及滲泄之處皆閉密而氣不流行衛氣收斂於中而不發散也○新校正云按甲乙經氣不行作營衛不行炅則腠理開榮衛通汗大泄故氣泄矣人在陽則舒在陰則滲故熱則膚腠開發榮衛大通津液外滲而汗大泄驚則心無所倚神無所歸慮無所定故氣亂矣氣奔越故不調理○新校正云按大素驚作憂字勞則喘且汗出外內皆越故氣耗矣疲力役則氣奔速故喘息氣奔速則陽外發故汗出然喘且汗出內外皆踰越於常經故氣耗損也思則心有所存神有所歸正氣留而不行故氣結矣繫心不散故氣亦停留○新校正云按甲乙經歸正二字作止字

○腹中論篇第四十新校正云按全元起本在第五卷

黃帝問曰有病心腹滿旦食則不能暮食此爲何病岐伯對曰名爲鼓脹心腹脹滿不能再食形如鼓脹故名鼓脹也○新校正云按大素鼓作穀字帝曰治之奈何岐伯曰治之以雞矢醴一劑知二劑已按古本草雞矢並不治鼓脹惟大利小便微寒今方制法當取用如湯漬服之帝曰其時有復發者何也復謂再發言如舊也岐伯曰此飲食不節故時有病也雖然其病且已時故當病氣聚於腹也飲食不節則傷胃胃脉者循腹裏而下行故飲食不節時有病名復病氣聚於腹中也帝曰有病胷脇支滿者妨於食病至則先聞腥臊臭出清液先唾血四支清目眩時時前後血病名爲何何以

得之清液清水也亦謂之清涕清涕者謂從窈漏中漫液而下水出清冷也瞼謂目翔眩轉也前後血謂前陰後陰出血也岐伯曰病名血枯此得之年少時有所大脫血若醉入房中氣竭肝傷故月事衰少不來也出血多者謂之脫血漏下鼻衄嘔吐出血皆同焉夫醉則血脉盛血脉盛則內熱因而入房髓液皆下故腎中氣竭也肝藏血以少大脫血故肝傷也然於丈夫則精液衰之若女子則月事衰少而不來帝曰治之奈何復以何術岐伯曰以四烏鰂骨一藘茹二物并合之丸以雀卵大如小豆以五丸為後飯飲以鮑魚汁利腸中新校正云按別本一作傷中闕亦則切藘茹上力切下音如字及傷肝也飯後藥先謂之後飯按古本草經云烏鰂魚骨藘茹等並不治血枯然經法用之是

攻其所生所起爾。夫醉勞力以入房，則腎中精氣耗竭；月事衰少不至，則中有惡血淹留。精氣耗竭，則陰萎不起而無精；惡血淹留，則血痺著中而不散。故先兹四藥用入方焉。古本草經曰：烏鰂魚骨味鹹冷平，無毒，主治女子血閉。藘茹味辛寒平，有小毒，主散惡血。雀卵味甘溫平，無毒，主治男子陰萎不起，強之令熱，多精有子。鮑魚味辛臭溫平，無毒，主治瘀血血痺在四支不散者。尋文會意，方義如此而處治之也。○新校正云：按甲乙經及太素藘茹作蕳茹，詳王注性味乃蕳茹，當改藘作蕳。又按本草烏鰂魚骨冷作微溫，雀卵甘作酸，与王注異。

帝曰：病有少腹盛，上下左右皆有根，此爲何病？可治不？岐伯曰：病名曰伏梁。伏梁，心之積也。○新校正云：詳此伏梁与心積之狀梁大異，病有名同而實異者非一，如此之類是也。帝曰：伏梁何因而得之？岐伯曰：裹大膿血，居腸胃之外，不可治，治之每切按之致死帝曰何以然岐伯曰此下則因陰必下膿血上則迫胃脘生鬲俠胃脘内癰此當衝脈帶脈之部分也帶脈者起於季脅迴身一周橫絡於齊下衝脈者与足少陰之絡起於腎下出於氣街循陰股其上行者出齊下同身寸之三寸關元之分俠齊直上循腹各行會於咽喉故病當其分則少腹盛上下左右皆有根也以其上下堅盛如有潛梁故曰病名伏梁不可治也以裹大膿血居腸胃之外按之痛悶不堪故每切按之致死也以衝脈下行者絡陰上行者循腹故也上則迫近於胃脘下則因薄於陰器也若因薄於陰則便下膿血若迫近於胃則病氣上出於鬲復俠胃脘内長其癰也何以然哉以本有大膿血在腸胃之外故也生當爲出傳文誤也○新校正云按大素俠胃作使胃此久病也難治居齊上爲逆居齊下爲從勿動亟奪若裹大膿血居齊上則漸傷心藏故爲逆

居齊下則去心猶遠猶得漸攻故爲從從順也亟數也奪去也言不可移動但數數去之則可全論在刺法中今經亡帝曰人有身體髀股胻皆腫環齊而痛是爲何病岐伯曰病名伏梁此二十六字錯簡在奇病論中若不有此二十六字則下文無據也○新校正云詳此並無注觧盡在下卷奇病論中此風根也此四字此篇本有奇病論中亦有之其氣溢於大腸而著於肓肓之原在齊下故環齊而痛也不可動之動之爲水溺濇之病亦斷脉也齊下謂脖胦在齊下同身寸之一寸半靈樞經曰肓之原名曰脖胦脖蒲沒切胦烏朗切帝曰夫子數言熱中消中不可服高粱芳草石藥石藥發瘨芳草發狂多飲數溲謂之熱中多食數溲謂之消中多喜曰瘨多怒曰狂芳美味也

夫熱中消中者皆富貴人也今禁高梁是不合其心禁芳草石藥是病不愈願聞其說熱中消中者脾氣之上溢甘肥之所致故禁食高梁芳美之草也通評虛實論曰凡治消癉甘肥貴人則高梁之疾也又奇病論曰夫五味入於口藏於胃脾爲之行其精氣津液在脾故令人口甘此肥美之所發也此人必數食甘美而多肥也肥者令人內熱甘者令人中滿故其氣上溢轉爲消渴此之謂也夫富貴人者驕恣縱欲輕人而無能禁之禁之則逆其志順之則加其病帝思難詰故發問之高膏梁米也石藥英乳也芳草濃美也然此五者富貴人常服之難禁也岐伯曰夫芳草之氣美石藥之氣悍二者其氣急疾堅勁故非緩心和人不可以服此二者脾氣溢而生病氣美則重盛於脾消熱之氣躁疾氣悍則又滋其熱若人性和心緩氣候舒勻不與物爭釋然

亮泰則神不躁迫無擾內傷故非緩心和人不可以服此二者悍利也堅定也固也勁剛也言其芳草石藥之氣堅定固以剛烈而卒不歇滅此二者是也帝曰不可以服此二者何以然岐伯曰夫熱氣慓悍藥氣亦然二者相遇恐內傷脾慓疾也脾者土也而惡木服此藥者至甲乙日更論熱氣慓盛則中焦內熱躁故內非和緩則躁怒躁則怒數起則熱氣因木以傷脾甲乙爲木故至甲乙日更論脾病之增減也帝曰善有病膺腫新校正云按甲乙經作癰腫頸痛胷滿腹脹此爲何病何以得之膺胷傍也頸項前也胷腹間也岐伯曰名厥逆氣逆所生故名厥逆帝曰治之柰何岐伯曰灸之則瘖石之則狂須其氣并乃可治也石謂以石針開破之帝曰何以然

岐伯曰陽氣重上有餘於上灸之則陽氣入陰入則瘖石之則陽氣虛虛則狂灸之則火氣助陽陽盛故入陰石之則陽氣出陽氣出則內不足故狂須其氣并而治之可使全也并謂并合也待自并合則兩氣俱全故可治若不爾而灸石之則偏致贓負故不得全而瘖狂也帝曰善何以知懷子之且生也岐伯曰身有病而無邪脉也病謂經閉也脉法曰尺中之脉來而斷絕者經閉也月水不利若尺中脉絕者經閉也今病經閉脉反如常者婦人姙娠之證故云身有病而無邪脉帝曰病熱而有所痛者何也岐伯曰病熱者陽脉也以三陽之動也人迎一盛少陽二盛太陽三盛陽明入陰也夫陽入於陰故病在頭與腹

乃䐜脹而頭痛也帝曰善新校正云按六節藏象論云人迎一盛病在少陽二盛病在太陽三盛病在陽明与此論同又按甲乙經三盛陽明无入鍼也三字

○刺腰痛篇第四十一新校正云按全元起本在第六卷

足太陽脉令人腰痛引項脊尻背如重狀足太陽脉別下項循肩髆內俠脊抵腰中別下貫臀故令人腰痛引項脊尻背如重狀也○新校正云按甲乙經貫臀作貫胂刺瘧注亦作貫胂三部九候注作貫臀[illegible][illegible]熱切刺其郄中太陽正經出血春無見血郄中委中也在膝後屈外膕中央約文中動脈足太陽脉之所入也刺可入同身寸之五分留七呼若灸者可灸三壯太陽合腎腎王於冬水衰於春故春无見血也少陽令人腰痛如以鍼刺其皮中循循然不可以俛仰不可以顧足少陽脉遶髮際横入髀

厥中故令腰痛如以鍼刺其皮中循循然不可
俛仰少陽之脉起於目銳眥上抵頭角下耳後
循頸行手陽明之前至肩上交出手少陽之後
其支別者目銳眥下大迎合手少陽於䪼下加
頰車下頸合缺盆故不可以顧○新校正云按
甲乙經行手陽明之前作行手少陽之前也
刺少陽成骨之端出血成骨在膝外廉之骨獨
起者夏無見血成骨謂膝外近下䯒骨上端兩
起骨相並間陷容指者也䯒骨
所成拄膝髀骨故謂之成骨也少陽合
肝肝主於春春木衰於夏故无見血也陽明令
人腰痛不可以顧顧如有見者善悲足陽明脉
起於鼻交
頞中下循鼻外入上齒中還出俠口環脣下交
承漿却循頤後下廉出大迎其支別者從大迎
前下人迎循喉嚨入缺盆又其支別者起胃下
口循腹裏至氣街中而合以下髀故令人腰痛
不可顧顧如有見
者陽虛故悲也刺陽明於䯒前三痏上下和

之出血秋無見血按內經中誥流注圖經陽明脉穴俞之所主此腰痛者悉
刺胻前三痏則正三里穴也三里穴在膝下同身寸之三寸胻骨外廉兩筋肉分間刺可入同
身寸之一寸留七呼若灸者可灸三壯陽明合脾脾王長夏土衰於秋故秋无見血○新校正
云按甲乙經胻作骭足少陰令人腰痛痛引脊內廉足少陰脉
上股內後廉貫脊屬腎故令人腰痛痛引脊內內廉也○新校正云按全元起本脊內廉作脊內
痛太素亦同此前少足太陰腰痛證并刺足太陰法應古文脫簡也刺少陰於
內踝上二痏春無見血出血太多不可復也按內
經中誥流注圖經少陰脉穴俞所主此腰痛者當刺內踝上則正復溜穴也復溜在內踝後上
同身寸之二寸動脉陷者中刺可入同身寸之三分留三呼若灸者可灸五壯厥陰之
脉令人腰痛腰中如張弓弩弦足厥陰脉自陰股環陰器抵少

腹其支別者与太陰少陽結於腰髁下俠脊弟三第四骨空中其穴即中髎下髎故腰痛則中如張弓弩之弦也如張弦者言強急之甚刺厥陰之脈在腨踵魚腹腨踵者言脈在腨外側下當足跟也腨形之外循之累累然乃刺之勢如臥魚之腹故曰魚腹之外循其分肉有血絡累累然乃刺出之此正當蠡溝穴分足厥陰之絡在內踝上五寸別走少陽者刺可入三同身寸之二分留三呼若灸者可灸三壯厥陰三經作居陰是傳寫草書厥字為居也○新校正按經云厥陰之脈令人腰痛次言刺厥陰之脈注言刺厥陰之絡經注相違疑經中脈字乃絡字之誤也其病令人善言嘿嘿然不慧刺之三痏厥陰之脈循喉嚨之後上入頏顙絡於舌本故病則善言風盛則昏冒故不爽慧也三刺其處腰痛乃除○新校正云按經云善言嘿嘿然不慧詳善言嘿嘿二病難相兼全元起本无善字於義為允又按甲乙經厥陰之脈不絡舌本王氏於

素問之中五處引注而注厥論與刺熱及此三篇皆云絡舌本注風論注痺論二篇不言絡舌本蓋王氏亦疑而兩言之也

解脉令人腰痛痛而引肩目䀮䀮然時遺溲解脉散行脉也言不合而別行也此足太陽之經起於目內眥上額交巔上循肩髆俠脊抵腰中入循膂絡腎屬膀胱下入膕中故病斯候也又其支別者從髆內別下貫胂循髀外後廉而下合於膕中二脉如繩之解股故名解脉也刺解脉在膝筋肉分間郄外廉之横脉出血血變而止膝後兩傍大筋雙上股之後兩筋之間橫文之處努肉高起則郄中之分也古中誥以膕中爲太陽之郄當取郄外廉有血絡橫見迢然紫黑而盛滿者乃刺之當見黑血必候其血色變赤乃止血不變赤極而寫之必行血色變赤乃止此太陽中經之爲腰痛也解脉令人腰痛如引帶常如折腰狀善恐足太陽之別脉自肩而別下循背脊

至腰而虛入髀外後廉而下合膕中故若引帶如折腰之狀○新校正云按甲乙經如引帶作如裂善恐作善怒**刺解脈在郄中結絡如黍米刺之血**

射以黑見赤血而已郄中則委中穴足太陽合也在膝後屈處膕中央約文中動脈刺可入同身寸之五分留七呼若灸者可灸三壯此經刺法也今則取其結絡大如黍米者當黑血箭射而出見血變赤然可止也○新校正云按全元起云有兩解脈病源各異恐誤未詳**同陰之脈令人腰痛痛如小錘居其中怫**

然腫足少陽之別絡也並少陽經上行去足外踝上同身寸之五寸乃別走厥陰並經下絡足跗故曰同陰脈也怫怒也言腫如嗔怒也○新校正云按太素小錘作小鍼怫音弗**刺**

同陰之脈在外踝上絕骨之端為三痏絕骨之端如前同身寸之三分陽輔穴也足少陽脈所行刺可入同身寸之五分留七呼若灸者可灸三壯

陽維之脉令人腰痛痛上怫然腫陽維起於陽則太陽之所生奇經八脉此其一也刺陽維之脉脉與太陽合腨下間去地一尺所太陽所主與正經並行而上至腨下復與太陽合而上也腨下去地正同身寸之一尺是則承光穴在銳腨腸下宍分間陷者中刺可入同身寸之七分若灸者可灸五壯以其取腨腸下肉分間故云合腨下間○新校正云按穴之所在乃承山穴非承光也山字誤為光衡絡之脉令人腰痛不可以俛仰則恐仆得之舉重傷腰衡絡絕惡血歸之衡橫也謂太陽之外絡自腰中橫入髀外後廉而下與中經合於膕中者今舉重傷腰則橫絡絕中經獨盛故腰痛不可以俛仰矣一經作行絕之猶傳寫魚魯之誤也若是行脉中絕不應取太陽脉委陽殷門之穴也刺之在郄陽筋之間上郄數寸衡居為二

痏出血横居二穴謂委陽殷門平視横相當也郄陽謂浮郄穴上側委陽穴也筋之間謂膝後膕上兩筋之間殷門穴也二穴各去膕下横文同身寸之六寸故曰上郄數寸也委陽刺可入同身寸之七分留五呼若灸者可灸三壯殷門刺可入同身寸之五分留七呼若灸者可灸三壯故曰行居為二痏○新校正云詳王氏云浮郄穴上側委陽穴也按甲乙經委陽在浮郄穴下一寸不得言上測也會陰之脉令人腰痛痛上漯漯然汗出汗乾令人欲飲飲已欲走足太陽之中經也其脉循腰下會於後陰故曰會陰之脉其經自腰下行至足今陽氣大盛故痛上漯漯然汗出汗液旣出則腎燥陰虛故汗乾令人欲飲水以救腎也水入腹已腎氣復生陰氣流行太陽又盛故飲水已反欲走也刺直陽之脉上三痏在蹻上郄下五寸横居視其盛者出血直陽之脉則太陽之脉俠脊下行貫臀下至膕中下

循腨過外踝之後條直而行者故曰直陽之脈也蹻謂陽蹻所生字脈穴在外踝下也郄下則腘下也言此刺處在膕下同身寸之五寸上承郄中之穴下當中脈之位是謂承筋穴即腨中央如外腨者中出太陽脈氣所發禁不可刺可灸三壯今云刺者謂刺其血絡之盛滿者也腨腨皆有太陽經氣下行當視兩腨中央有血絡盛滿者乃刺出之故曰視其盛者出血○新校正云詳上云會陰之脈令人腰痛此云刺直陽之脈者詳此直陽之脈即會陰之脈也文變而寫之殊又承筋穴注云腨中央如外按甲乙經及骨空論注無如外二字

飛陽之脈令人腰痛痛上怫怫然甚則悲以恐是陰維之脈也去內踝上同身寸之五寸腨分中並少陰經而上也少陰之脈前則陰維脈所行也足少陰之脈從腎上貫肝鬲入肺中循喉嚨俠舌本其支別者從肺出絡心注胷中故甚則悲以恐也恐者生於腎悲者生於心

刺飛陽之脈在內踝上五寸新校正云按甲

乙經作二寸少陰之前與陰維之會內踝後上同身寸之五寸復溜
穴少陰脈所行刺可入同身寸之三分內踝之後築賓穴陰維之郄刺可入同身寸之三分若
灸者可灸五壯少陰之前陰維之會以三脉會在此穴分位也刺可入同身寸之三分若灸者
可灸五壯今中誥經文正同此法○新校正云按甲乙經足太陽之絡別走少陰者名曰飛陽
在外踝上七寸文云築賓陰維之郄在內踝上腨分中復溜穴在內踝上二寸今此經注都與
甲乙不合者疑經注中五寸字當作二寸則素問與甲乙相應矣昌陽之脈令
人腰痛痛引膺目䀮䀮然甚則反折舌卷不能
言陰蹻脉也陰蹻者足少陰之別也起於然骨之後上內踝之上直上循陰股入陰而循腹
上入胷裏入缺盆上出人迎之前入頄內廉屬目內眥合於太陽陽蹻而上行故腰痛之狀如
此刺內筋為二痏在內踝上大筋前太陰後上

踝二寸所內筋謂大筋之前分肉也太陰後大筋前即陰蹻之郄交信穴也在內踝
上同身寸之二寸少陰前太陰後筋骨之間陷
者之中刺可入同身寸之四分留五呼若灸者
可灸三壯今中誥經文正主此散脈令人腰痛而熱熱甚生煩
腰下如有橫木居其中甚則遺溲散脈足太陰之別也散行
而上故以名焉其脈循股內入腹中與少陰少陽結於腰髁下骨空中故病則腰下如有橫木
居其中甚乃遺溲也刺散脈在膝前骨肉分間絡外廉束
脈為三痏謂膝前內側也骨肉分謂膝內輔骨之下下廉腨肉之兩間也絡外廉則
太陰之絡色青而見者也輔骨之下後有大筋擷束膝胻之骨令其連屬取此筋骨繫束之處
脈以去其病是曰地機三刺而已故曰束脈為之三痏也肉里之脈令人腰
痛不可以欬欬則筋縮急肉里之脈少陽所生則陽維之脈氣所發

也里裏也刺肉里之脉為二痏在太陽之外少陽絕骨之後分肉主之一經云少陽絕骨之前傳寫誤也絕骨之前足少陽脉所行絕骨之後陽維脉所過故指曰在太陽之外少陽絕骨之後也分肉穴在足外踝直上絕骨之端如後同身寸之二分筋肉分間陽維脉氣所發刺可入同身寸之五分留十呼若灸者可灸三壯新校正云按分肉之穴甲乙經不見與氣穴注兩出而分寸不同氣穴注二分作三分五分作三分十呼作七呼腰痛俠脊而痛至頭几几然目睆睆欲僵仆刺足太陽郄中出血郄中委中○新校正云按太素作頭沈沈然腰痛上寒刺足太陽陽明上熱刺足厥陰不可以俛仰刺足少陽中熱而喘刺足少陰刺郄中出血此法玄妙中非不同莫可窺測當用知其應不爾皆懸先去血絡乃調之也

腰痛上寒不可顧刺足陽明上寒陰市主之陰市在膝上同身寸之三寸伏兔下陷者中足陽明脈氣所發刺可入同身寸之三分留七呼若灸者可灸三壯不可顧三里主之三里在膝下同身寸之三寸胻外廉兩筋肉分間足陽明脈之所入也刺可入同身寸之三寸留七呼若灸者可灸三壯上熱刺足太陰地機主之地機在膝下同身寸之五寸足太陰之郄也刺可入同身寸之三分若灸者可灸三壯〇新校正云按甲乙經作五壯中熱而喘刺足少陰涌泉大鍾悉主之涌泉在足心陷者中屈足踡指宛宛中足少陰脈之所出刺可入同身寸之三分留三呼若灸者可灸三壯大鍾在足跟後街中動脈足少陰之絡刺可入同身寸之二分留七呼若灸者可灸三壯〇新校正云按刺瘧注大鍾在內踝後街中水穴論注在內踝後此注在跟後街中動脈三注不同甲乙經亦云在跟後衝中當從甲乙經爲正太便難刺足少陰涌泉主之少

腹滿刺足厥陰大衝主之在足大指本節後內間同身寸之二寸陷者中脈動應手足厥陰脈之所注也刺可入同身寸之三分留十呼若灸者可灸三壯如折不可以俛仰不可舉刺足太陽如折束骨主之不可以俛仰京骨崑崙悉主之不可舉申脈僕參悉主之束骨在足小指外側本節後赤白肉際陷者中足太陽脈之所注也刺可入同身寸之三分留三呼若灸者可灸三壯京骨在足外側大骨下赤白肉際陷者中按而得之足太陽脈之所過也刺可入同身寸之三分留七呼若灸者可灸三壯崑崙在足外踝後跟骨上陷者中細脈動應手足太陽脈之所行也刺可入同身寸之五分留十呼若灸者可灸三壯申脈在外踝下同身寸之五分容爪甲陽蹻之所生也刺可入同身寸之六分留十呼若灸者可灸三壯僕參在跟骨下陷者中足太陽陽蹻二脈之會刺可入同身寸之三分留七呼若灸者可灸三壯○新校正云按甲乙經中脈在外踝下陷者中無五分字刺入

六分作三分留十呼作留六呼氣穴注作七呼僕參留七呼甲乙經作六呼引脊內廉刺足少陰復溜上之取同飛陽注從腰痛上寒不可顧至此並經語除注並合朱書○新校正云按全元起本及甲乙經并大素自腰痛上寒至此並無乃王氏所添也今注一云從腰痛上寒至並合朱書十九字非王冰之語蓋後人所加也腰痛引少腹控眇不可以仰新校正云按甲乙經作不可以俛仰字刺腰尻交者兩髁胂上以月生死為痏數發鍼立已此出各炙足太陰之絡也控謂引也眇謂季脇下之空軟處也腰尻交者謂髁下尻骨兩傍四骨空左右八窌穴俠脊呼此骨為八髎骨也此腰痛取腰髁下第四髎即下髎穴也足太陰厥陰少陽三脈左右交結於中故曰腰尻交者也兩髁胂謂兩髁骨下堅起肉也胂上非胂之上巔正當刺胂肉矣直刺胂肉即胂上也何者胂之上巔別有中膂肉俞白環俞雖並主腰痛考其形證經不相

應矣。髁骨即腰脊兩傍起骨之俠脊兩傍腰髁之下各有胂肉隴起而斜趣於髁骨之後內承其髁故曰兩髁胂也。下承髁胂肉左右兩胂各有四骨空故曰上髎次髎中髎下髎上髎當髁骨下陷者中餘三髎少斜下按之陷中是也四空悉主腰痛惟下髎所主文與經同即太陰厥陰少陽所結者也刺可入同身寸之二寸留十呼若灸者可灸三壯以月生死為痏數者月初向圓為月生月半向空為月死死月刺少生月刺多繆刺論曰月生一日一痏二日二痏漸多之十五日十五痏十六日十四痏漸少之其痏數多少如此即知之髁苦乖切髎音遼左取右右取左痛在左針取右痛在右針取左所以然者以其脉左右交結於尻骨之中故也。新校正云詳此腰痛引少腹一節與繆刺論重

新刊黃帝內經素問卷十一

新刊黃帝內經素問卷第十二

啓玄子次註林億孫奇高保衡等奉敕校正孫兆重改誤

風論篇第四十二（新校正云：按全元起本在第九卷）

黃帝問曰：風之傷人也，或爲寒熱，或爲熱中，或爲寒中，或爲癘風，或爲偏枯，或爲風也，其病各異，其名不同，或內至五藏六府，不知其解，願聞其說。（傷謂人自中之）岐伯對曰：風氣藏於皮膚之間，內不得通，外不得泄。（腠理開疎則邪風入，風氣入已，玄府閉封，故內不得通外）

不得泄也風者善行而數變腠理開則洒然寒閉則熱而悶（洒然寒皃閟不爽皃腠理開則風飄揚故寒腠理閉則風混乱故悶）其寒也則衰食飲其熱也則消肌肉故使人怢慄而不能食名曰寒熱（寒風入胃故食飲衰熱氣內藏故消肌肉寒熱相合故怢慄而不能食名曰寒熱也怢慄卒振寒皃○新校正云詳怢慄全元起本作失味甲乙經作解㑊）風氣與陽明入胃循脉而上至目內眥其人肥則風氣不得外泄則為熱中而目黃人瘦則外泄而寒則為寒中而泣出（陽明者胃脉也胃脉起於鼻交頞中下循鼻外入上齒中還出俠口環脣下交承漿卻循頤後下廉循喉嚨入缺盆下鬲屬胃故与陽明入胃循脉而上至目內眥也人肥則腠理密緻故不得外泄則為熱中而目黃人瘦則腠理開

腠風得外泄則寒中而泣出也風氣與太陽俱入行諸脉俞散於分肉之間與衛氣相干其道不利故使肌肉憤䐜而有瘍衛氣有所凝而不行故其肉有不仁也肉分之間衛氣行處風与衛氣相薄俱行於肉分之間故氣道澁而不利也氣道不利風氣內攻衛氣相持故肉憤䐜而瘡出也瘍瘡也若衛氣被風吹之不得流轉所在偏併凝而不行則肉有不仁之処也不仁謂㿏而不知寒熱痛痒癘者有榮衛熱胕其氣不清故使鼻柱壞而色敗皮膚瘍潰此則風入於經脉之中也榮行脉中故風入脉中內攻於血与榮氣合合熱而血胕壞也其氣不清言潰乱也然血脉潰乱榮復挾風陽脉尽上於頭鼻焉呼吸之所故鼻柱壞而色惡皮膚破而潰爛也脉要精微論曰脉風盛爲癘潰胡對切風寒客於脉而不去名曰

癘風或名曰寒熱始爲寒熱熱成曰癘風○新校正云按別本成一作盛以春甲乙傷於風者爲肝風以夏丙丁傷於風者爲心風以季夏戊己傷於邪者爲脾風以秋庚辛中於邪者爲肺風以冬壬癸中於邪者爲腎風春甲乙木肝主之夏丙丁火心主之季夏戊己土脾主之秋庚辛金肺主之冬壬癸水腎主之風中五藏六府之俞亦爲藏府之風各入其門戶所中則爲偏風隨俞左右而偏中之則爲偏風風氣循風府而上則爲腦風風入係頭則爲目風眼寒風府穴名正入項髮際一寸大筋內宛宛中督脉陽維之會自風府而上則腦戶也腦戶者督脉足太陽之會故循風府而上則爲腦風也足太陽之脉起於目內眥上額交巔上入絡腦還

出故風入係頭則爲目風眼寒也飲酒中風則爲漏風熱鬱腠疎中風汗出多如液漏故曰漏風經具名曰酒風入房汗出中風則爲內風內耗其精外開腠理因內風襲故曰內風經具名曰勞風新沐中風則爲首風沐髮中風舍於頭故曰首風久風入中則爲腸風飧泄風在腸中上熏於胃故食不化而下出焉飧泄者食不化而出也○新校正云按全元起云飧泄者水穀不分爲利外在腠理則爲泄風風居腠理則玄府開通風薄汗泄故云泄風故風者百病之長也至其變化乃爲他病也無常方然致有風氣也長先也先百病而有也○新校正云按全元起本及甲乙經致字作故帝曰五藏風之形狀不同者何願聞其診及其病能診謂可言之證能謂內作病形岐伯曰肺

風之狀多汗惡風色皏然白時欬短氣晝日則差暮則甚診在眉上其色白凡內多風氣則熱有餘熱則腠理開故多汗也風薄於內故惡風焉皏謂薄白色也肺色白在變動爲欬主藏氣風內迫之故色皏然白時欬短氣也晝則陽氣在表故差暮則陽氣入裏風內應之故甚也眉上謂兩眉間之上闕庭之部所以外司肺候故診在焉白肺色也心風之狀多汗惡風焦絕善怒嚇赤色病甚則言不可快診在口其色赤焦絕謂脣焦而文理斷絕也何者熱則皮剝故也風薄於心則神亂故善怒而嚇人也心脉支別者從心系上俠咽喉而主舌故病甚則言不可快也口脣色赤故診在焉赤者心色○新校正云按甲乙經无嚇字肝風之狀多汗惡風善悲色微蒼嗌乾善怒時憎女子診在目下其色青肝病則心藏无

養心氣盡故善悲肝合木木色蒼故色微蒼也肝脉者循股陰入髦中環陰器抵少腹挾胃屬肝絡膽上貫鬲布脅肋循喉嚨之後入頏顙上出額与督脉會於巔其支別者從目系下故嗌乾善怒時憎女子診在目下也青肝色也

脾風之狀多汗惡風身體怠墮四支不欲動色薄微黃不嗜食診在鼻上其色黃

脾脉起於足上循胻骨又上膝股內前廉入腹屬脾絡胃上鬲俠咽連舌本散舌下其支別者復從胃別上鬲注心中心脉出於手循臂故身體怠墮四支不欲動而不嗜食脾氣合土主中央鼻於面部亦居中故診存焉黃脾色也○新校正云按王注脾風不當引心脉出於手循臂七字於義无取主四支脾風則四支不欲動矣

腎風之狀多汗惡風面痝然浮腫脊痛不能正立其色炲隱曲不利診在肌上其色黑

痝然言腫起也炲黑色也腎者陰也目下

亦陰也故腎藏受風則面痝然而浮腫腎脉者
起於足下上循腨內出膕內廉上股內後廉貫
脊故脊痛不能正立也隱曲者謂隱蔽委曲之
事也腎藏精外應交接今藏被風薄精氣內微
故隱蔽委曲之事不通利所爲也陰陽應象大
論曰氣歸精精食氣今精不足則氣內歸精氣
不注皮故肌皮上黑也黑腎色也胃風之狀頸多汗惡風食飲
不下鬲塞不通腹善滿失衣則䐜脹食寒則泄
診形瘦而腹大胃之脉支別者從頤後下廉過人迎循喉嚨入缺盆下鬲屬胃絡脾其直行者從缺盆下乳內廉下俠齊入氣街中其支別者起胃下口循腹裏至氣街中而合故頸多汗食飲不下鬲塞不通腹善滿也然失衣則外寒而中熱故腹䐜脹食寒則寒物薄胃而陽不內消故泄利胃合脾而主肉胃氣不足則肉不長故瘦也胃中風氣稸聚故腹大也○新校正云按孫思邈云新食竟取風爲胃風
首風之狀頭面多汗惡

風當先風一日則病甚頭痛不可以出內至其風日則病少愈

> 頭者諸陽之會風客之則使腠踈故頭面多汗也夫人陽氣外合於風故先當風一日則病甚以先風甚故亦先衰是以至其風日則病少愈內謂室屋之內也不可以出屋室之內者以頭痛甚而不喜外風故也。新校正云按孫思邈云新沐浴竟取風爲首風

漏風之狀或多汗常不可單衣食則汗出甚則身汗喘息惡風衣常濡口乾善渴不能勞事

> 脇背風熱故不可單衣腠理開踈故食則汗出甚則風薄於肺故身汗喘息惡風衣裳濡口乾善渴也形勞則喘息故不能勞事。新校正云按孫思邈云因醉取風爲漏風其狀惡風多汗少氣口乾善渴近衣則身熱如火臨食則汗流如雨骨節懈惰不欲自勞

泄風之狀多汗汗出泄衣上口中乾上漬其風不能勞

事身體盡痛則寒上漬謂皮上濕如水漬也以多汗出故亦汗多則津液涸故口中乾形勞則汗出甚故不能勞事身體盡痛以其汗多汗多則亡陽故寒也。新校正云按孫思邈云新房室竟取風爲內風其狀惡汗流沾衣裳疑此泄風乃內風也按本論前文先云漏風內風首風次言入中爲腸風在外爲泄風今有泄風而无內風孫思邈載內風乃與泄風之狀故知此泄字內之誤也帝曰善

○痹論篇第四十三新校正云按全元起本在第八卷

黃帝問曰痹之安生安猶何也言何以生岐伯對曰風寒濕三氣雜至合而爲痹也雖合而爲痹發起亦殊矣其風氣勝者爲行痹寒氣勝者爲痛痹濕氣勝者爲著痹也風則陽受之故爲痹往寒則陰受之故爲痹痛濕則皮肉筋脉受之故爲痹著而不

去也故乃痺從風寒溼之所生也帝曰其有五者何也言風寒溼氣各異則三痺生有五而何氣之勝也岐伯曰以冬遇此者為骨痺以春遇此者為筋痺以夏遇此者為脈痺以至陰遇此者為肌痺以秋遇此者為皮痺冬主骨春主筋夏主脈秋主皮至陰主肌肉故各為其痺也至陰謂戊己月及土寄王月也帝曰內舍五藏六府何氣使然言皮肉筋骨脈痺以五時之外遇然內居藏府何以致之岐伯曰五藏皆有合病久而不去者內舍於其合也肝合筋心合脈脾合肉肺合皮腎合骨久病不去則入於是故骨痺不已復感於邪內舍於腎筋痺不已復感於邪內舍於肝脈痺不已復感於邪內舍於心肌

痺不已復感於邪內舍於脾皮痺不已復感於邪內舍於肺所謂痺者各以其時重感於風寒濕之氣也時謂氣王之月也肝王春心王夏肺王秋腎王冬脾王四季之月感謂感應也凡痺之客五藏者肺痺者煩滿喘而嘔以藏氣應息又其脈還循胃口故使煩滿喘而嘔心痺者脈不通煩則心下鼓暴上氣而喘嗌乾善噫厥氣上則恐心合脈受邪則脈不通利也邪氣內擾故煩也手心主心包之脈起於胸中出屬心包下鬲手少陰心脈起於心中出屬心系下鬲絡小腸其支別者從心系上俠咽喉其直者復從心系却上肺故煩則心下鼓滿暴上氣而喘嗌乾也心主為噫以下鼓滿故噫之以出氣也若是逆氣上乘於心則恐畏也神懼凌弱故尔肝痺者夜卧則驚多飲數小便上為

引如懷肝主驚駭氣相應故中夜臥則驚也肝之脉循股陰入髦中環陰器抵少腹俠胃屬肝絡膽上貫膈布脇肋循喉嚨之後上入頏顙故多飲水數小便上引少腹痛懷任之狀

腎痺者善脹尻以代踵脊以代頭腎者胃之關關不利則胃氣不轉故善脹也尻以代踵謂足攣急也脊以代頭謂身蜷屈也踵足跟也腎之脉起於足小指之下斜趣足心出於然骨之下循內踝之後別入跟中以上腨內出膕內廉上股內後廉貫脊屬腎絡膀胱其直行者從腎上貫肝膈入肺中氣不足而受邪故不伸展○新校正云詳然骨一作然谷

脾痺者四支解墯發欬嘔汁上為大塞土王四季外主四支故四支解墯又以其脉起於足循腨胻上膝股也然脾脉入腹屬脾絡胃上膈俠咽故發欬嘔汁脾氣養肺胃復連咽故上為大塞也

腸痺者數飲而出不得中氣喘爭時發飧泄大腸之脉入缺盆絡肺下膈屬大腸

小腸之脉又入缺盆絡心循咽下鬲抵胃屬小腸今小腸有邪則脉不下鬲脉不下鬲則腸不行化而胃氣擁熱故多飲水而不得下出也腸胃中陽氣與邪氣奔喘交爭得時通利以腸氣不化故時或得通則為飧泄

胞痺者少腹膀胱按之內痛若沃以湯澀於小便上為清涕膀胱為津液之府胞內居之少腹處關元之中內藏胞器然膀胱之脉起於目內眥上額交巔上入絡腦出別下項循肩髆內挾脊抵腰中入循膂絡腎屬膀胱其支別者從腰中下貫臀入膕中今胞受風寒濕氣則膀胱太陽之脉不得下流於足故少腹膀胱按之內痛若沃以湯澀於小便也小便既澀太陽之脉不得下行故上爍其腦而為清涕出於鼻竅矣沃猶灌也。新校正云按全元起本內痛二字作兩髀

陰氣者靜則神藏躁則消亡陰謂五神藏也所以說神藏與消亡者言人安靜不涉邪氣則神氣寧以內藏人躁動觸冒邪氣則神被害而離散藏无所守

故曰消亡此言五藏受邪之為痺也飲食自倍腸胃乃傷藏以躁動致傷
府以食飲見損皆謂過用越性則受其邪此言六府受邪之為痺也淫氣喘息痺
聚在肺淫氣憂思痺聚在心淫氣遺溺痺聚在
腎淫氣乏竭痺聚在肝淫氣肌絕痺聚在脾淫氣
謂氣之妄行者各隨藏之所主而入為痺也〇新校正云詳從上凡痺之客五藏者至此全元
起本在陰陽別論中此王氏之所移也諸痺不已亦益內也從外不去
則益深至於身內其風氣勝者其人易已也帝曰痺其
時有死者或疼久者或易已者其故何也岐伯
曰其入藏者死其留連筋骨間者疼久其留皮
膚間者易已入藏者死以神去也筋骨疼久以其定也皮膚易已以浮淺也由斯

深淺故有是不同帝曰其客於六府者何也岐伯曰此
亦其食飲居處爲其病本也四方雖土地溫凉高下不同物性剛
柔食居不異但動過其分則六府致傷陰陽應
象大論曰水穀之寒熱感則害六府〻新校正
云按傷寒論曰物性剛柔飡居亦異六府亦各有俞風寒濕氣中
其俞而食飲應之循俞而入各舍其府也六府俞亦
謂背俞也膽俞在十椎之傍胃俞在十二椎之
傍三焦俞在十三椎之傍大腸俞在十六椎之
傍小腸俞在十八椎之傍膀胱俞在十九椎之
傍隨形分長短而取之如是各去脊同身寸之
一寸五分並足太陽脉氣之所發也○新校正
云詳六府俞並在本椎下兩傍此注言在椎之
傍者文略也帝曰以鍼治之奈何岐伯曰五藏有俞
六府有合循脉之分各有所發各隨其過新校正云

按甲乙經隨依治則病瘳也肝之俞曰太衝心之俞曰大陵脾之俞曰太白肺之俞曰大淵腎之俞曰大谿皆經脈之所注也太衝在足大指間本節後二寸陷者中○新校正云按刺腰痛注云太衝在足大指本節後內間二寸陷者中動脈應手刺可入同身寸之三分留十呼若灸者可灸三壯大陵在手掌後骨兩筋間陷者中刺可入同身寸之六分留七呼若灸者可灸三壯太白在足內側核骨下陷者中刺可入同身寸之三分留七呼若灸者可灸三壯太淵在手掌後陷者中刺可入同身寸之二分留二呼若灸者可灸三壯大谿在足內踝後跟骨上動脈陷者中刺可入同身寸之三分留七呼若灸者可灸三壯胃合入于三里膽合入于陽陵泉大腸合入于曲池小腸合入于小海三焦合入于委陽膀胱合入于委中三里在膝下三寸胻外廉兩筋間刺可入同身寸之一寸留十呼若灸者可灸三壯陽陵泉在膝下一寸胻外廉陷者中刺可入同身寸之六分留十呼若灸者可灸三壯小海在肘內大骨外去肘端

五分陷者中屈肘乃得之刺可入同身寸、一分留七呼若灸者可灸五壯曲池在肘外輔屈肘曲骨之中刺可入同身寸之五分留七呼若灸者可灸三壯委陽在足膕中外廉兩筋間刺可入同身寸之七分留五呼若灸者可灸三壯屈伸而取之委中在膕中央約文中動脈刺可入同身寸之五分留七呼若灸者可灸三壯○新校正云按刺熱注委中在足膝後屈處餘並同此○故經言循脈之分各有所發各隨其過則病寥也遲謂脈所經過處○新校正云詳王氏以委陽為三焦合按甲乙經云委陽三焦下轅俞也足太陽之別絡三焦之合自在手少陽經天井穴為少陽府之所入為合詳此六府之合俱引本經所入之穴獨三焦不引本經所入之穴者王氏之誤也王氏但見甲乙經云三焦合于委陽彼謂自異彼文以大腸合于巨虛上廉小腸合于下廉此以相也小海易之故知當以天井穴為合也

帝曰榮衛之氣亦令人痺乎岐伯曰榮者水穀之精氣也和

調於五藏灑陳於六府乃能入於脈也正理論曰穀入於胃脈道乃行水入於經其血乃成又靈樞經曰榮氣之道內穀爲實〇新校正云按別本實作寶穀入於胃氣傳與肺精專者上行經隧故由此故水穀精氣合榮氣運行而入於脈也故循脈上下貫五藏絡六府也榮行脈內故無所不至衛者水穀之悍氣也其氣慓疾滑利不能入於脈也悍氣謂浮盛之氣也以其浮盛之氣故慓疾滑利不能入於脈中也故循皮膚之中分肉之間熏於肓膜散於胷腹皮膚之中分肉之間謂脈外也肓膜謂五藏之間鬲中膜也以其浮盛故能布散於胷腹之中空虛之處熏其肓膜令氣宣通也〔肓〕音荒逆其氣則病從其氣則愈不與風寒濕氣合故不爲痺帝曰善痺或痛或不痛或不仁

或寒或熱或燥或濕其故何也岐伯曰痛者寒氣多也有寒故痛也風寒濕氣客於肉分之間迫切而爲沫得寒則聚聚則排分肉肉裂則痛故有寒則痛也其不痛不仁者病久入深榮衛之行濇經絡時踈故不通新校正按甲乙經不通作不痛詳甲乙經此條論不痛與不仁兩事後言不痛是載明不痛之爲重也皮膚不營故爲不仁不仁者皮頑不知有無也其寒者陽氣少陰氣多與病相益故寒也病本生於風寒濕氣故陰氣益之也其熱者陽氣多陰氣少病氣勝陽遭陰故爲痺熱遭遇也言遇於陰氣陰氣不勝故爲熱○新校正云按甲乙經遭作乘其多汗而濡者此其逢濕甚也陽氣少陰氣盛兩氣相感故汗出而

濡也（中表相應則相感也）帝曰夫痺之爲病不痛何也岐伯曰痺在於骨則重在於脉則血凝而不流在於筋則屈不伸在於肉則不仁在皮則寒故具此五者則不痛也凡痺之類逢寒則蟲逢熱則縱帝曰善（蟲謂皮中如蟲行縱謂縱緩不相就○新校正云按甲乙經蟲作急）

○痿論篇第四十四（新校正云按全元起本在第四卷）

黄帝問曰五藏使人痿何也（痿謂痿弱无力以運動）岐伯對曰肺主身之皮毛心主身之血脉肝主身之筋膜（新校正云按全元起本云膜者人皮下肉上筋膜也）脾主身之肌肉腎主身之骨髓（所主不同痿生亦各歸其所主）故肺熱葉焦則

皮毛虛弱急薄著則生痿躄也
躄謂攣躄足不得伸以行走肺熱則腎受熱氣故亦躄及亦熱
心氣熱則下脉厥而上上則下脉虛虛則生脉痿樞折挈脛縱而不任地也
心熱盛則火獨光火獨光則內炎上腎之脉常下行今火盛而上炎用事故腎脉亦隨火炎爍而逆上行也陰氣厥逆火復內燔陰上陽陽下不守位心氣通脉故生脉痿腎氣主足故膝腕樞紐如折去而不相提挈脛筋縱緩而不能任用於地也
肝氣熱則膽泄口苦筋膜乾筋膜乾則筋急而攣發爲筋痿
膽約肝葉而汁味至苦故肝熱則膽液滲泄膽病則口苦今膽液滲泄故口苦也肝主筋膜故熱則筋膜乾而攣急發爲筋痿也八十一難經曰膽在肝短葉間下
脾氣熱則胃乾而渴肌肉不仁發爲肉痿
脾與胃以膜相連脾氣熱則胃液滲泄故乾而

渴也脾主肌肉今熱薄於內故肌肉不仁而發爲肉痿腎氣熱則腰脊不舉骨枯而髓減發爲骨痿腰爲腎府又腎脉上貫脊屬腎故腎氣熱則腰脊不舉也腎主骨髓故熱則骨枯而髓減發則爲骨痿也帝曰何以得之岐伯曰肺者藏之長也爲心之蓋也位高而布葉於胸中是故爲藏之長心之蓋有所失亡所求不得則發肺鳴鳴則肺熱葉焦志苦不揚氣鬱發逆肺藏氣鬱不利故喘息有聲而肺熱葉焦也故曰五藏因肺熱葉焦發爲痿躄此之謂也肺者所以行榮衛治陰陽故引曰五藏因肺熱而發爲痿躄也悲哀太甚則胞絡絶胞絡絶則陽氣內動發則心下崩數溲血也悲則心系急肺布葉舉而上焦不通榮衛不散熱氣在中故胞絡絶而陽氣內鼓動發則

心下崩數溲血也。心下崩謂心包內崩而下血也。溲謂溺也。○新校正云：按楊上善云：胞絡者，心上胞絡之脉也。詳經注中胞字俱當作包。全本胞又作肌也。故本病曰：大經空虛，發爲肌痺，傳爲脉痿。本病，古經論篇名也。大經謂大經脉也。以心崩溲血，故大經空虛，脉空則熱內薄，衛氣盛，榮氣微，故發爲肌痺也。先見肌痺，後漸脉痿，故曰傳爲脉痿也。思想無窮，所願不得，意淫於外，入房太甚，宗筋弛縱，發爲筋痿，及爲白淫。思想所願，爲祈欲也。施寫勞損，故爲筋痿及白淫也。白淫謂白物淫衍，如精之狀，男子因溲而下，女子陰器中綿綿而下也。故下經曰：筋痿者，生於肝使內也。下經，上古之經名也。使內，謂勞役陰力，費竭精氣也。有漸於濕，以水爲事，若有所留，居處相濕，肌肉濡漬，痺而不仁，發爲肉痿。業惟近濕居處澤下皆水爲事也平者久而猶殆感之者尤甚矣肉屬於脾脾氣惡濕濕著於內則衛氣不榮故爲肉痿也故下經曰肉痿者得之濕地也陰陽雜家大論曰地之濕氣感則害皮肉筋脈此之謂害肉也有所遠行勞倦逢大熱而渴渴則陽氣內伐內伐則熱舍於腎腎者水藏也今水不勝火則骨枯而髓虛故足不任身發爲骨痿陽氣內伐謂伐腹中之陰氣也水不勝火以熱舍於腎中也故下經曰骨痿者生於大熱也腎性惡燥熱反居中熱薄骨乾故骨痿无力也帝曰何以別之岐伯曰肺熱者色白而毛敗心熱者色赤而絡脈溢肝熱者色蒼而爪枯脾熱者色黃而肉蠕動腎熱者色黑而齒槁各求

藏色及所主養而命之則其應也○帝曰如夫子言可矣論言治痿者獨取陽明何也岐伯曰陽明者五藏六府之海陽明胃脉也胃為水谷之海主閏宗筋宗筋主束骨而利機關也宗筋謂陰毛中橫骨上下之竪筋也上絡胸腹下貫髖尻又經於背腹上頭項故云宗筋主束骨而利機關也然腰者身之大關即所以司屈伸故曰機關髖音寬尻苦敖切衝脉者經脉之海也靈樞經曰衝脉者十二經之海主滲灌谿谷與陽明合於宗筋尋此則橫骨上下齊兩傍竪筋正宗筋也衝脉循腹俠齊傍各同身寸之五分而上陽明脉亦俠齊傍各同身寸之一寸五分而上宗筋脉於中故云与陽明合於宗筋並[illegible]為十一經海故主滲灌谿谷也肉之大會為谷小會為谿○新校正云詳宗筋脉於中守一作宗筋縱於中陰陽總宗筋之會會於氣

街而陽明爲之長皆屬於帶脉而絡於督脉宗筋聚會會於橫骨之中從上而下故云陰陽揔宗筋之會也宗筋俠齊下合於橫骨陽明輔其外衝脉居其中故云會於氣街而陽明爲之長也氣街則陰毛兩傍脉動處也帶脉者起於季脇回身一周而絡於督脉也督脉者起於關元上下循腹故云皆屬於帶脉而絡於督脉也督脉任脉衝脉三脉者同起而異行故經文或參差而引之故陽明虛則宗筋縱帶脉不引故足痿不用也陽明之脉從缺盆下乳內廉下俠齊至氣街中其支別者起胃下口循腹裏下至氣街中而合以下髀抵伏菟下入膝髕中下循䯒外廉下足跗入中指內間其支別者下膝三寸而別以下入中指外間故陽明虛則宗筋縱緩帶脉不引而足痿弱不可用也引謂牽引䯒音牝帝曰治之奈何岐伯曰各補其榮而通其俞調其虛實和其逆順筋

脉骨肉各以其時受月則病已矣帝曰善時受月謂受氣時月也如肝王甲乙心王丙丁脾王戊己肺王庚辛腎王壬癸皆王氣法也時受月則正謂五常受氣月也

○厥論篇第四十五新校正云按全元起本在第五卷

黄帝問曰厥之寒熱者何也厥謂氣逆上也世謬傳為脚氣廣飾方論焉岐伯對曰陽氣衰於下則為寒厥陰氣衰於下則為熱厥陽謂足之三陽脉陰謂足之三陰脉下謂足也帝曰熱厥之為熱也必起於足下者何也陽主外而厥在内故問之岐伯曰陽氣起於足五指之表陰脉者集於足下而聚於足心故陽氣勝則足下熱也大約而言之足

太陽脈出於足小指之端外側足少陽脈出於足小指次指之端足陽明脈出於足中指及大指之端並循足陽而上肝膽胃脾腎於足下聚於足心陰弱故足下熱也○新校正云按甲乙經陽氣起於足作走於足起當作走帝曰寒厥之爲寒也必從五指而上於膝者何也陰主內而厥在外故問之岐伯曰陰氣起於五指之裏集於膝下而聚於膝上故陰氣勝則從五指至膝上寒其寒也不從外皆從內也亦大約而言之也足太陰脈起於足大指之端內側足厥陰脈起於足大指之端三毛中足少陰脈起於足小指之下斜趣足心並循足陰而上循股陰入腹故云集於膝下而聚於膝之上也帝曰寒厥何失而然也岐伯曰前陰者宗筋之所聚太陰陽明之所合也宗筋俠齊下合於陰器故云前

陰者宗筋之所聚也太陰者脾脉陽明者胃脉脾胃之脉皆輔近宗筋故云太陰陽明之所合○新校正云按甲乙經前陰者宗筋之所聚作厥陰者衆筋之所聚全元起云前陰者厥陰也與王注義異亦自一説春夏則陽氣多而陰氣少秋冬則陰氣盛而陽氣衰此乃天之常道此人者質壯以秋冬奪於所用下氣上爭不能復精氣溢下邪氣因從之而上也質謂形質也奪於所用謂多欲而奪其精氣也新校正云按甲乙經氣因於中作所中陽氣衰不能滲營其經絡陽氣日損陰氣獨在故手足爲之寒也帝曰熱厥何如而然也源其所由尒岐伯曰酒入於胃則絡脉滿而經脉虚脾主爲胃行其津液者也陰氣

虛則陽氣入陽氣入則胃不和胃不和則精氣竭精氣竭則不營其四支也前陰為太陰陽明之所合故胃不和則精氣竭也內精不足故四支無氣以營之此人必數醉若飽以入房氣聚於脾中不得散酒氣與穀氣相薄熱盛於中故熱遍於身內熱而溺赤也夫酒氣盛而慓悍腎氣日衰陽氣獨勝故手足為之熱也醉飽入房內亡精氣中虛熱入由是腎衰陽盛陰虛故熱生於手足也帝曰厥或令人腹滿或令人暴不知人或至半日遠至一日乃知人者何也暴猶卒也言卒然冒悶不醒覺也不知人謂悶甚不知識人也或謂尸厥岐伯曰陰氣盛於上則下虛下虛則腹脹

蒲陽氣盛於上則下氣重上而邪氣逆逆則陽氣亂陽氣亂則不知人也（陰謂足太陰氣○新校正云按甲乙經陽氣盛於上五字作腹滿二字當從甲乙經之說何以言之別按甲乙經云陽脉下墜陰脉上爭發尸厥焉有陰氣盛於上而又言陽氣盛於上又按張仲景云少陰脉不至腎氣微少精血奔氣促迫上入胷鬲宗氣反聚血結心下陽氣退下熱歸陰股與陰相動令身不仁此為尸厥仲景言陽氣退下則是陽氣不得盛於上故知當從甲乙經也又王注陰謂足太陰亦為未盡按繆刺論云邪客於手足少陰太陰足陽明之絡此五絡皆會於耳中上絡左角五絡俱竭令人身脉皆動而形無知其狀若尸或曰尸厥焉得專解陰為太陰也）帝曰善願聞六經脉之厥狀病能也（為前問解故請備聞諸經厥也）岐伯曰巨陽之厥則腫首頭重足不能行發為眴仆（巨陽

太陽也足太陽脈起於目内眥上額交巔上其支別者從巔至耳上角其直行者從巔入絡腦還出別下項循肩髆内俠脊抵腰中入循膂絡腎屬膀胱其支別者從腰中下貫臀入膕中其支別者從髆内左右別下貫胂過髀樞循髀外後廉下合膕中以下貫腨内出外踝之後循京骨至小指之端外側由是厥逆外形斯證也腫或作踵非

陽明之厥則癲疾欲走呼腹滿不得臥面赤而熱妄見而妄言足陽明脈起於鼻交頞中下循鼻外入上齒中還出俠口環脣下交承漿却循頤後下廉出大迎循頰車上耳前過客主人循髮際至額顱其支別者從大迎前下人迎循喉嚨入缺盆下鬲屬胃絡脾其直行從缺盆下乳内廉下俠齊入氣街中其支別者起胃下口循腹裏下至氣街中而合以下髀抵伏兔下入膝臏中下循胻外廉下足跗入中指内間其支別者下膝三寸而別以下入中指外間其支別者跗上入大指間出其端故厥如是也癲一爲巔非

少陽之

厥則暴聾頰腫而熱脇痛胻不可以運足少陽脉起於目銳眥上抵頭角下耳後循頸行手少陽之前至肩上交出手少陽之後入缺盆其支別者從耳後入耳中出走耳前至目銳眥後其支別者目銳眥下大迎合手少陽於頞下加頰車下頸合缺盆以下胷中貫鬲絡肝屬膽循脇裏出氣街遶毛際橫入髀厭中其直行者從缺盆下掖循胷過季脇下合髀厭中以下循髀陽出膝外廉下入外輔骨之前直下抵絶骨之端下出外踝之前循足跗出小指次指之端故厥如是太陰之厥則腹滿䐜脹後不利不欲食食則嘔不得臥足太陰脉起於大指之端上膝股內前廉入腹屬脾絡胃上鬲俠咽連舌本散舌下其支別者復從胃別上鬲注心中故爲如是少陰之厥則口乾溺赤腹滿心痛足少陰脉上股內後廉貫脊屬腎絡膀胱其直行者從腎上貫肝鬲入肺中循喉嚨俠舌本其支別者從肺出絡心

注胷中故厥如是厥陰之厥則少腹腫痛腹脹涇溲不利好卧屈膝陰縮腫䯒內熱足厥陰脉去內踝一寸上踝八寸交出太陰之後上膕內廉循股陰入髦中下環陰器抵少腹俠胃屬肝絡膽上貫鬲故厥如是䯒內熱一本云䯒外熱傳寫行書內外誤也盛則寫之虛則補之不盛不虛以經取之不盛不虛謂邪氣未盛真氣未虛如是則以穴俞經法留呼多少而取之太陰厥逆䯒急攣心痛引腹治主病者足太陰脉起於大指之端循指內側上內踝前廉上腨內循䯒骨後上膝股內前廉入腹其支別者復從胃別上鬲注心中故䯒急攣心痛引腹也太陰之脉行有左右候其有過者當發取之故言治主病者○新校正云詳從大陰厥逆至篇末全元起本在第九卷王氏移於此少陰厥逆虛滿嘔變下泄清治主病者以其脉從腎上貫肝

鬲入肺中循喉嚨故如是厥陰厥逆攣腰痛虛滿前閉譫言新校正云按全元起云譫言者氣虛獨言也譫音巖治主病者以其脉循股陰入髦中環陰器復上循喉嚨之後絡舌本故如是○新校正云按甲乙經厥陰之經不絡舌本王氏注刺熱篇刺腰痛篇并此三注俱云絡舌本又注風論痺論各不云絡舌本王注自有異同當以甲乙經為正三陰俱逆不得前後使人手足寒三日死三陰絶故三日死太陽厥逆僵仆嘔血善衄治主病者以其脉起目内眥又循脊絡腦故如是僵居良切仆音付少陽厥逆機關不利機關不利者腰不可以行項不可以顧以其脉循頸下繞髦際横入髀厭中故如是發腸癰不可治驚者死足少陽脉貫鬲絡肝屬膽循脇裏出氣街發腸癰則經氣絶故不可治驚者死也陽明厥

逆喘欬身熱善驚衄嘔血以其脈循喉嚨入缺盆下鬲屬胃絡脾故如是手太陰厥逆虛滿而欬善嘔沫治主病者手太陰脈起於中焦下絡大腸還循胃口上鬲屬肺故如是手心主少陰厥逆心痛引喉身熱死不可治手心主脈起於胸中出屬心包手少陰脈其支別者從心系上挾咽喉故如是手太陽厥逆耳聾泣出項不可以顧腰不可以俛仰治主病者手太陽脈支別者從缺盆循頸上頰至目銳眥却入耳中其支別者從頰上䪼抵鼻至目內眥故耳聾泣出項不可以顧也腰不可以俛仰脈不相應恐古錯簡文手陽明少陽厥逆發喉痹嗌腫痓治主病者手陽明脈支別者從缺盆上頸手少陽脈支別者從膻中上出缺盆上項故如是○新校正云按全元起本痓作痙

新刊黃帝内經素問卷十二

新刊黄帝内經素問卷第十三

啓玄子次註林億孫奇高保衡等奉敕校正孫兆重改誤

病能論　奇病論

大奇論　脉解篇

○病能論篇第四十六

新校正云按全元起本在第五卷

黄帝問曰人病胃脘癰者診當何如岐伯對曰診此者當候胃脉其脉當沉細沉細者氣逆胃者水穀之海其血盛氣壯今反脉沉細者是逆常平也○新校正云按甲乙經沉細作沉濇太素作沉細逆者人迎甚盛甚盛則熱沉細為寒寒氣格陽故人迎脉盛人迎者陽明之脉故盛則熱也人迎謂結喉傍脉動應手者人迎者胃脉也

胃脉循喉嚨而入缺盆故云人迎者胃脉也逆而盛則熱聚於胃口而不行故胃脘爲癰也血氣壯盛而熱内薄之兩氣合熱故結爲癰也帝曰善人有卧而有所不安者何也岐伯曰藏有所傷及精有所之寄則安故人不能懸其病也五藏有所傷損及之水穀精氣有所之寄扶其下則卧安以傷及於藏故人不能懸其病處於其中也○新校正云按甲乙經精有所之寄則安作情有所倚則卧不安大素作精有所倚則不安帝曰人之不得偃卧者何也謂不得仰卧也岐伯曰肺者藏之蓋也居高布葉四藏下之故言肺者藏之蓋也肺氣盛則脉大脉大則不得偃卧肺氣盛滿偃卧則氣促喘奔故不得偃卧也論在奇恒陰陽中奇恒陰陽上古經篇名世本闕帝曰有病

厥者診右脉沉而緊左脉浮而遲不然病主安在不然言不沉也○新校正云按甲乙經不然作不知岐伯曰冬診之右脉固當沉緊此應四時左脉浮而遲此逆四時在左當主病在腎頗關在肺當腰痛也以冬左脉浮而遲浮爲肺脉故言頗關在肺也腰者腎之府故腎受病則腰中痛也帝曰何以言之岐伯曰少陰脉貫腎絡肺今得肺脉腎爲之病故腎爲腰痛之病也左脉浮遲非肺來見以左腎不足而脉不能沉故得肺脉腎爲病也帝曰善有病頸癰者或石治之或鍼灸治之而皆已其眞安在言所攻則異所愈則同故問眞法何所在也岐伯曰此同名異等者也言雖同曰頸癰然其皮中別異

不一等也故下一云夫癰氣之息者宜以鍼開除去之夫氣盛血聚者宜石而寫之此所謂同病異治也息瘜也死肉也石砭石也可以破大癰出膿今以鈹鍼代之帝曰有病怒狂者新校正云按太素怒狂作善怒此病安生岐伯曰生於陽也帝曰陽何以使人狂怒不慮禍故謂之狂岐伯曰陽氣者因暴折而難決故善怒也病名曰陽厥言陽氣被折鬱不散也此人多怒亦曾因暴折而心不疏暢故尔如是者皆陽逆躁極所生故病名陽厥帝曰何以知之岐伯曰陽明者常動巨陽少陽不動不動而動大疾此其候也言頸項之脈皆動不止也陽明常動者動於結喉傍是謂人迎氣舍之分位也若少少陽之動動於曲頰下是謂天窗天牖之分位

也若下陽之動動於項脉傍大筋前陷者中是謂天柱天容之分位也不應常動而反動其動當病也○新校正云詳王注以天窓為少陽之分位天容為大陽之分位按甲乙經天窓乃大陽脉氣所發天容乃少陽脉氣所發一位交互當以甲乙經為正也帝曰治之奈何岐伯曰奪其食即已夫食入於陰長氣於陽故奪其食即已食少則氣衰故節去其食即病自止○新校正云按甲乙經奪作衰太素同也使之服以生鐵洛為飲新校正云按甲乙經鐵洛作鐵落為飲作為後飯夫生鐵洛者下氣疾也之或為人傳文誤也鐵洛味辛微温平主治下氣方俗或呼為鐵漿非是生鐵液也帝曰善有病身熱解墯汗出如浴惡風少氣此為何病岐伯曰病名曰酒風飲酒中風者也風論曰飲酒中風則為漏風是亦名漏風也夫極飲者陽

氣盛而腠理踈玄府開發陽盛則筋痿弱故身躰解墮也腠理踈則風內攻玄府發則氣外泄故汗出如浴也風氣外薄膚腠理開汗多內虛瘅熱熏肺故惡風少氣也因酒而病故曰酒風〔解〕音介〔墮〕徒果切帝曰治之奈何岐伯曰以澤瀉朮各十分麋銜五分合以三指撮爲後飯朮味苦溫平主治大風止汗麋銜味苦寒平主治風濕筋痿澤瀉味甘寒平主治風濕益氣由此功用方故先之飯後藥先謂之後飯所謂深之細者其中手如鍼也摩之切之聚者堅也博者大也上經者言氣之通天也下經者言病之變化也金匱者決死生也揆度者切度之也奇恒者言奇病也所謂奇者使奇病不得以四時死也恒者得以四時死也新校

正云按楊上善云得病傳之至於勝時而死此爲恒中生喜怒令病次傳者此爲奇所謂揆者方切求之也言切求其脈理也度者得其病處以四時度之也凡言所謂者皆釋未了義今此所謂尋前後經文悉不与此篇義相接似今數句少成文義者終是別釋經文世本既闕第七二篇應彼闕經錯簡文也古文斷裂繆續於此

〇奇病論篇第四十七新校正云按全元起本在第五卷

黃帝問曰人有重身九月而瘖此爲何也重身謂身中有身則懷任者也瘖謂不得言語也任娠九月足少陰脈養胎約氣斷則瘖不能言也岐伯對曰胞之絡脈絕也絕謂脈斷絕而不通流而不能言非天真之氣斷絕也帝曰何以言之岐伯曰胞絡者繫於腎少

陰之脉貫腎繫舌本，故不能言（少陰腎脉也。氣不營養，故舌不能言。）帝曰：治之奈何？岐伯曰：無治也，當十月復（十月胎去，胞絡復通，腎脉上營，故復舊而言也。）刺法曰：無損不足，益有餘，以成其疹（疹謂久病，反法而治，則胎死不去，遂成久固之疹病。）然後調之（新校正云：按《甲乙經》及《大素》無此四字。按全元起注云：所謂不治者，其身九月而瘖，身重不得為治，須十月滿生後，復如常也，然後調之。則此四字本全元起注文，誤書於此，當刪去之。）所謂無損不足者，身羸瘦，無用鑱石也（任娠九月，筋骨瘦勞，力少身重，又拒於穀，故身形羸變，不可以鑱石傷也。鑱，鋤銜切。）無益其有餘者，腹中有形而泄之，泄之則精出而病獨擅中，故曰疹成也（胎約胞絡，腎氣不通，因而泄之，腎精隨出，精液內竭，胎則不全，胎死腹中。

著而不去由此獨擅故疹成焉帝曰病脇下滿氣逆二三歲不巳是爲何病岐伯曰病名曰息積此不妨於食不可灸刺積爲導引服藥藥不能獨治也腹中无形脇下逆滿頻歲不愈息且形之氣逆息難故名息積也氣不在胃故不妨於食也灸之則火熱內爍氣化爲風刺之則必寫其經轉成虛敗故不可灸刺是可積爲導引使氣流行久以藥攻內消瘀稸則可矣若獨憑其藥而不積爲導引則藥亦不能獨治之也帝曰人有身體髀股䯒皆腫環齊而痛是爲何病岐伯曰病名曰伏梁以衝脉病故名曰伏梁然衝脉者与足少陰之絡起於腎下出於氣街循陰股內廉斜入膕中循䯒骨內廉並足少陰經下入內踝之後入足下其上行者出齊下同身寸之三寸關元之分俠齊直上循腹各行會於咽喉故身躰髀皆腫繞齊而痛名曰伏梁

環謂圓繞如環也此風根也其氣溢於大腸而著於肓肓之原在齊下故環齊而痛也大腸廣腸也經說大腸當言廻腸也何者靈樞經曰廻腸當齊右環回周葉積而下廣腸附脊以受廻腸左環葉積上下辟大尋此則是廻腸非應言大腸也然大腸廻腸俱与肺合從合而命故通曰大腸也不可動之動之爲水溺濇之病也以衝脉起於腎下出於氣街其上行者起於胞中上出齊下關元之分故動之則爲水而溺濇也動謂齊其毒藥而擊動之使其大下也此一問答之義与腹中論同以爲奇病故重出於此帝曰人有尺脉數甚筋急而見此爲何病筋急謂掌後尺中兩筋急也脉要精微論曰尺外以候腎尺裏以候腹中今尺脉數急脉數爲熱熱當筋緩反尺中筋急而見腹中筋當急故問爲病乎靈樞經曰熱即筋緩寒即筋急岐伯曰此所謂疹筋是人

腹必急白色黑色見則病甚腹急謂俠脊腎筋俱急以尺裏候腹中故見尺中筋急則必腹中拘急矣色見謂見於面部也夫相五色者白爲寒黑爲寒故二色見病彌甚也帝曰人有病頭痛以數歲不已此安得之名爲何病頭痛之疾不當踰月數年不愈故怪而問之岐伯曰當有所犯大寒内至骨髓髓者以腦爲主腦逆故令頭痛齒亦痛夫腦爲髓主齒是骨餘腦逆反寒骨亦寒人故令頭痛齒亦痛病名曰厥逆帝曰善全注人生於腦緣有腦則有骨髓齒者骨之本也

帝曰有病口甘者病名爲何何以得之岐伯曰此五氣之溢也名曰脾癉癉謂熱也脾熱則四藏同禀故五氣上溢也生因脾熱故曰脾癉夫五味入口藏於胃脾爲之行其

精氣津液在脾故令人口甘也脾熱內滲津液在脾胃穀化餘精氣隨溢口通脾氣故口甘津液在脾是脾之濕此肥美之所發也新校正云按太素發作致此人必數食甘美而多肥也肥者令人內熱甘者令人中滿故其氣上溢轉為消渴食肥則腠理密陽氣不得外泄故肥令人內熱甘者性氣和緩而發散逆故甘令人中滿然內熱熱則陽氣炎上炎上則欲飲而嗌乾中滿則陳氣有餘有餘則脾氣上溢故曰其氣上溢轉為消渴也陰陽應象大論曰辛甘發散為陽靈樞經曰甘多食之令人悶然從中滿以生之○新校正云按甲乙經消渴作消癉治之以蘭除陳氣也蘭謂蘭草也神農曰蘭草味辛熱平利水道辟不祥胷中痰澼也除謂去也陳謂久也言蘭除陳久甘肥不化之氣者以辛能發散故也藏氣法時論曰辛者散也○新校正云按本草蘭性平不言熱帝曰

有病口苦取陽陵泉口苦者病名爲何何以得之岐伯曰病名曰膽癉亦謂熱也膽汁味苦故口苦○新校正云按全元起本及太素無口苦取陽陵泉六字詳前後文勢疑此爲誤夫肝者中之將也取決於膽咽爲之使靈蘭秘典論曰肝者將軍之官謀慮出焉膽者中正之官決斷出焉肝與膽合氣性相通故諸謀慮取決於膽咽膽相應故咽爲使焉○新校正云按甲乙經曰膽者中精之府五藏取決於膽咽爲之使疑此文誤此人者數謀慮不決故膽虛氣上溢而口爲之苦治之以膽募俞胸腹曰募背脊曰俞膽募在乳下二肋外期門下同身寸之五分俞在脊第十推下兩傍相去各同身寸之一寸半治在陰陽十二官相使中言治法具於彼篇今經已亡帝曰有癃者一日數十溲此不足

也身熱如炭頸膺如格人迎躁盛喘息氣逆此有餘也是陽氣大盛於外陰氣不足故有餘也○新校正云詳此十五字舊作文寫按甲乙經太素並無此文再詳乃是全元起注後人誤書於此今作注書大陰脉細微如髮者此不足也其病安在名爲何病癃小便不得也溲小便也頸膺如格言頸与胷膺如相格拒不順應也人迎躁盛謂結喉兩傍脉動盛滿急數非常躁速也胃脉也大陰脉微細如髮者謂手大指後同身寸之一寸骨高脉動處脉則肺脉也此正手大陰脉氣之所流可以候五藏也岐伯曰病在太陰其盛在胃頗在肺病名曰厥死不治病癃溲身熱如炭頸膺如格息氣逆者皆手大陰脉當洪大而數今大陰脉反微細如髮者是病与脉相反也何以致之肺氣逆陵於胃而爲是上使人迎躁盛也故曰病在太陰其盛在胃也以喘息氣逆故云頗

亦在肺也病因氣逆證不相應故病名曰厥死不治也此所謂得五有餘二不足也帝曰何謂五有餘二不足岐伯曰所謂五有餘者五病之氣有餘也二不足者亦病氣之不足也今外得五有餘內得二不足此其身不表不裏亦正死明矣外五有餘者一身熱如炭二頸膺如格三人迎躁盛四喘息五氣逆此內二不足者一病癃一日數十溲二太陰脈微細如髮大如是者謂其病在表則內有二不足謂其病在裏則外得五有餘表裏既不可憑補瀉固難爲法故曰此其身不表不裏亦正死明矣帝曰人生而有病巔疾者病名曰何安所得之夫百病者皆生於風雨寒暑陰陽喜怒也然始生有形未犯邪氣已有巔疾豈邪氣素傷耶故問之巔謂上巔則頭首也岐伯曰病名爲胎

病此得之在母腹中時其母有所大驚氣上而不下精氣并居故令子發爲巔疾也精氣謂陽之精氣也

帝曰有病痝然如有水狀切其脉大緊身無痛者形不瘦不能食食少名爲何病痝然謂面目浮起而色雜也大緊謂如弓弦也大即爲氣緊即爲寒寒氣内薄而反无痛与衆別異常故問之也岐伯曰病生在腎名爲腎風脉如弓弦大而且緊勞氣内稸寒復内爭勞氣薄寒故化爲風風勝於腎故曰腎風腎風而不能食善驚驚已心氣痿者死腎水受風心火痿弱火水俱困故必死帝曰善

○大奇論篇第四十八新校正云按全元起本在第九卷

肝滿腎滿肺滿皆實即爲腫滿謂脉氣滿實也腫謂廱腫也藏氣

滿乃如是肺之雍，喘而兩胠滿。肺藏氣而外主息，其脉支別者從肺系橫出腋下，故喘而兩胠滿也。○新校正云：詳肺雍、肝雍、腎雍，甲乙經俱作癰。肝雍，兩胠滿，臥則驚，不得小便。肝之脉循股陰入髦中，環陰器，抵少腹，上貫肝鬲，布脇肋，故胠滿不得小便也。肝主驚駭，故臥則驚。腎雍，腳下至少腹滿，新校正云：按甲乙經腳下作胠下。腳當作胠，不得言腳下至少腹也。脛有大小，髀胻大跛，易偏枯。衝脉者，經脉之海，與少陰之絡俱起於腎下，出於氣街，循陰股內廉，斜入膕中，循䯒骨內廉，並少陰之經，下入內踝之後，入足下。其上行者，出齊下同身寸之三寸。故如是。若血氣變易，爲偏枯也。心脉滿大，癇瘛筋攣。心脉滿大，則肝氣下流，熱氣內薄，筋乾血涸，故癇瘛而筋攣。肝脉小急，癇瘛筋攣。肝養筋，內藏血。肝氣受寒，故癇瘛而筋攣。脉小急者，寒也。肝脉騖暴，有所驚駭。騖謂

駭驚言其迅急也陽氣內薄故發爲驚也脉不至若瘖不治自已肝氣
若厥厥則脉不通厥退則脉復通矣又其脉布脅肋循喉嚨之後故脉不至若瘖不治亦自已
腎脉小急肝脉小急心脉小急不鼓皆爲瘕小急
爲寒甚不鼓則血不流血不流而寒薄故血內凝而爲瘕也腎肝并沉爲石
水肝脉入陰內貫少腹腎脉貫脊中絡膀胱兩藏并藏氣熏衝脉自腎下絡於胞今水不行
化故堅而結然腎主水水冬冰水宗於腎腎象水而沉故氣并而沉名爲石水○新校正云詳
腎肝並沉至下并小弦欲驚全元起本在厥論中王氏移於此并浮爲風水脉浮
爲風下焦主水今風薄於下故名風水并虛爲死腎爲五藏之根肝爲發生之主二者
不足是生主俱微故死并小弦欲驚脉小弦爲肝腎俱不足故尔腎脉
大急沉肝脉大急沉皆爲疝疝者寒氣結聚之所爲也夫脉沉爲

（實脉急爲痛氣實寒薄聚故爲絞痛爲疝）心脉搏滑急爲心疝，肺脉沉搏爲肺疝（皆寒薄於藏故也）。三陽急爲瘕，三陰急爲疝（太陽受寒血凝爲瘕，太陰受寒氣聚爲疝）。二陰急爲癇厥，二陽急爲驚（二陰少陰也，二陽陽明也。○新校正云：詳三陽急爲瘕至此，全元起本在厥論，王氏移於此）。脾脉外鼓沉爲腸澼，久自已（外鼓謂鼓動於臂外也）。肝脉小緩爲腸澼，易治（肝脉小緩爲脾乘肝，故易治）。腎脉小搏沉爲腸澼下血（小爲陰氣不足，搏爲陽氣乘之，熱在下焦，故下血也）。血溫身熱者死（血溫身熱是陰氣衰敗，故死）。心肝澼亦下血（肝藏血，心養血，故澼皆下血也）。二藏同病者可治（心火肝木，木火相生，故可治之）。其脉小沉濇爲腸澼（心肝脉小而沉濇者澼也），其身熱者死。

熱見七日死。腸澼下血而身熱者是火氣內絕去心而歸於外也故死火成數七故七日死胃脉沉鼓濇胃外鼓大心脉小堅急皆鬲偏枯外鼓謂不當尺寸而鼓擊於臂外側也男子發左女子發右陽主左陰主右故大陰陽應象大論曰左右者陰陽之道路此其義也不瘖舌轉可治三十日起偏枯之病瘖不能言腎與胞脉內絕也胞脉繫於腎腎之脉從腎上貫肝鬲入肺中循喉嚨俠舌本故氣內絕則瘖不能言也其從者瘖三歲起從謂男子發左女子發右也病順左右而瘖不能言三歲治之乃能起年不滿二十者三歲死以其五藏始定血氣方剛藏始定則易傷氣方剛則甚費易傷甚費故三歲死脉至而搏血衄身熱者死血衄爲虛脉不應搏今反脉搏是氣極乃然故死脉來懸鉤浮爲常脉以其爲血衄者之常脉也脉至如喘名曰暴厥喘謂卒來盛急去而便衰如人之喘狀也暴厥者不知與人言所謂暴厥之候如此脉至如數使人暴驚脉數爲熱熱則內動肝心故驚三四日自已數爲心脉木被火所病非肝生不与邪合故三月後四日自除所以尔者木生數三也脉至浮合浮合如浮波之合後至者凌前速疾而動无常候也浮合如數一息十至以上是經氣予不足也微見九十日死脉至如火薪然是心精之予奪也草乾而死新然之火燄燄不定其形而便絶也燄弋念切脉至如散葉是肝氣予虛也木葉落而死如散葉之隨風不常其狀○新校正云按甲乙經散葉作叢棘脉至如省客省客者脉塞而鼓是腎氣予不足也懸去棗華而死脉塞

而散謂纏見不行旋復去也懸〻謂如懸物物動而絕去也脈至如丸泥是胃
精予不足也榆莢落而死如珠之轉是謂丸泥脈至如橫
格是膽氣予不足也禾熟而死脈長而堅如橫木之在指下也
脈至如弦縷是胞精予不足也病善言下霜而
死不言可治胞之脈繫於腎腎之脈俠舌本今氣不足者則當不能言今反善言
是真氣內絕去腎外歸於舌也故死脈至如交漆交漆者左右傍
至也微見三十日死左右傍至言如歷漆之交左右反奏。新校正云按
甲乙經交漆作交棘脈至如涌泉浮鼓肌中太陽氣予不
足也少氣味韭英而死如水泉之動但出而不入脈至如頹
土之狀按之不得是肌氣予不足也五色先見

黑白壘發死頹上之狀謂浮之大而虛耎大按之則無○新校正云按甲乙經頹上作委上脉至如懸雍懸雍者浮揣切之益大是十二俞之予不足也水凝而死如顙中之懸雍也○新校正云按全元起本懸雍作懸離元起注云懸離者言脉与肉不相得也脉至如偃刀偃刀者浮之小急按之堅大急五藏菀熟寒熱獨并於腎也如此其人不得坐立春而死菀積也熟熱也脉至如丸滑不直手不直手者按之不可得也是大腸氣予不足也棗葉生而死脉至如華者令人善恐不欲坐卧行立常聽是小腸氣予不足也季秋而死脉至如華謂似華虛弱不可正取也小腸之脉上入耳中故常

聽也

○脉解篇第四十九新校正云按全元起本在第九卷

太陽所謂腫腰脽痛者正月太陽寅寅太陽也脽謂臀肉也正月三陽生主建寅三陽謂之太陽故曰寅太陽也正月陽氣出在上而陰氣盛陽未得自次也正月雖三陽生而天氣尚寒以其尚寒故曰陰氣盛陽未得自次次謂立王之次也故腫腰脽痛也以其脉抵腰中入貫臀過髀樞故爾病偏虛爲跛者正月陽氣東解地氣而出也所謂偏虛者冬寒頗有不足者故偏虛爲跛也以其脉循股內後廉合膕中下循腨過外踝之後循京骨至小指外側故也○新校正云詳王氏云其脉循股內殊非按甲乙經太陽流注不到股內股內乃髀外之誤

當云脉外後廉所謂強上引背者陽氣大上而爭故強上也強上謂頸項禁強也甚則引背矣所以尔者以其脉從腦出別下項背故也所謂耳鳴者陽氣萬物盛上而躍故耳鳴也以其脉支別者從巔至耳上角故尔所謂甚則狂巔疾者陽盡在上而陰氣從下下虛上實故狂巔疾也以其脉上額交巔上入絡腦還出其支別者從巔至耳上角故狂巔疾也項上曰巔所謂浮為聾者皆在氣也亦以其脉至耳故也所謂入中為瘖者陽盛已衰故為瘖也陽氣盛入中而薄於胞腎則胞絡腎絡氣不通故瘖也胞之脉繫於腎腎之脉俠舌本故瘖不能言內奪而厥則為瘖俳此腎虛也俳發也腎之脉与衝脉並出於氣街循陰股內廉斜入腦中循胻骨內廉及內踝之後入足下故腎

氣内奪而不順則舌瘖足廢故云此腎虛也○新校正云詳王注云腎之脉与衝脉並出按甲乙經是腎之絡非腎之脉况王注痿論并奇病論大奇論並云腎之絡則此脉字當爲絡 少陰不至者厥也 少陰腎脉也若腎氣内脱則少陰脉不至也少陰之脉不至則太陰之氣逆上而行也 少陽所謂心脇痛者言少陽盛也盛者心之所表也 心氣逆則少陽盛心氣宜木外鍊肺金故盛者心之所表也 九月陽氣盡而陰氣盛故心脇痛也 足少陽脉循脇裏出氣街心主脉循胷出脇故亦火墓於戌故九月陽氣盡而陰氣盛也 所謂不可反側者陰氣藏物也物藏則不動故不可反側也所謂其前則躍者 躍謂跳躍也 九月萬物盡衰草木畢落而墮則氣去陽而之陰氣盛而陽之下長

故謂躍亦以其脉循髀陽出膝外廉下入外輔之前直下抵絶骨之端下出外踝之前循足跗故氣盛則令人跳躍也陽明所謂洒洒振寒者陽明者午也五月盛陽之陰也陽盛以明故云午也五月夏至一陰氣上陽氣降下故云盛陽之陰也陽盛而陰氣加之故洒洒振寒也陽氣下陰氣升故云陽盛而陰氣加之也所謂脛腫而股不收者是五月盛陽之陰也陽者衰於五月而一陰氣上與陽始爭故脛腫而股不收也以其脉下髀抵伏兎下入膝髕中下循胻外廉下足跗入中指内間又其支別者下膝三寸而別以下入中指外間故爾所謂上喘而爲水者陰氣下而復上上則邪客於藏府間故爲水也藏脾也府胃也足太陰脉從足走腹足陽明脉從頭走足

今陰氣微下而太陰上行故云陰氣下而復上也復上則所下之陰氣不散客於脾胃之間化爲水也所謂胸痛少氣者水氣在藏府也水者陰氣也陰氣在中故胸痛少氣也水停於下則氣鬱鬱於上氣鬱於上則肺滿故胸痛少氣也所謂甚則厥惡人與火聞木音則惕然而驚者陽氣與陰氣相薄水火相惡故惕然而驚也所謂欲獨閉戶牖而處者陰陽相薄也陽盡而陰盛故欲獨閉戶牖而居惡喧故爾所謂病至則欲乘高而歌弃衣而走者陰陽復爭而外并於陽故使之弃衣而走也新校正云詳所謂甚則厥至此與前陽明脈解論相通所謂客孫脈則頭痛鼻鼽腹腫者

陽明并於上上者則其孫絡太陰也故頭痛鼻鼽腹腫也太陰所謂病脹者太陰子也十一月萬物氣皆藏於中故曰病脹（陰氣大盛太陰始於子故云子也以其脈入腹屬脾絡胃故病脹也）所謂上走心為噫者陰盛而上走於陽明陽明絡屬心故曰上走心為噫也（按靈樞經說足陽明流注並無至心者太陰脈說云其支別者復從胃別上鬲注心中法應以此絡為陽明絡也○新校正云詳王氏以足陽明流注並無至心者按甲乙經陽明之正上通於心循咽出於口宜其經言陽明絡屬心為噫王氏安得謂之無）所謂食則嘔者物盛滿而上溢故嘔也（以其脈屬脾絡胃上鬲挾咽故也）所謂得後與氣則快然如衰者十一月陰氣下衰而

陽氣且出故曰得後與氣則快然如衰也少陰所謂腰痛者少陰者腎也十月萬物陽氣皆傷故腰痛也（少陰者腎脉也腰爲腎府故腰痛也）所謂嘔欬上氣喘者陰氣在下陽氣在上諸陽氣浮無所依從故嘔欬上氣喘也（以其脉從腎上貫肝鬲入肺中故病如是）所謂色色（新校正云詳色色字疑誤）不能久立久坐起則目䀮䀮無所見者萬物陰陽不定未有主也秋氣始至微霜始下而方殺萬物陰陽內奪故目䀮䀮無所見也所謂少氣善怒者陽氣不治陽氣不治則陽氣不得出肝氣當治而未得故善怒善怒者名

曰煎厥所謂恐如人將捕之者秋氣萬物未有畢去陰氣少陽氣入陰陽相薄故恐也所謂惡聞食臭者胃無氣故惡聞食臭也所謂面黑如地色者秋氣內奪故變於色也所謂欬則有血者陽脉傷也陽氣未盛於上而脉滿滿則欬故血見於鼻也厥陰所謂癩疝婦人少腹腫者厥陰者辰也三月陽中之陰邪在中故曰癩疝少腹腫也以其脉循陰股入髦中環陰器抵少腹故尔所謂腰脊痛不可以俛仰者三月一振榮華萬物一俛而不仰也所謂癩癃疝膚脹者曰陰亦盛而脉脹不通

故曰癩癃疝也所謂甚則嗌乾熱中者陰陽相薄而熱故嗌乾也此一篇殊与前後經文不相連接別釋經脈發病之源与靈樞經流注畧同所指殊異○新校正云詳此篇所解多甲乙經是動所生之病雖復少有異處大槩則不殊矣

新刊黃帝內經素問卷十三

新刊黃帝內經素問卷第十四

啓玄子次註林億孫奇高保衡等奉敕校正孫兆重改誤

○刺要論篇第五十

（新校正云：按全元起本在第六卷刺齊篇中）

黃帝問曰：願聞刺要。岐伯對曰：病有浮沈，刺有淺深，各至其理，無過其道，（道謂氣所行之道也）過之則內傷，不及則生外壅，壅則邪從之。（過之內傷，以大深也；不及外壅，以妄益他分之氣也。氣益而外壅，故邪氣隨虛而從之也）淺深不得，反爲大賊內動五藏後生大病賊謂私害動謂動亂然不及則外壅過之則內傷既且外壅內傷是為大病之階漸尔故曰後生大病也故曰病有在毫毛腠理者有在皮膚者有在肌肉者有在脉者有在筋者有在骨者有在髓者毛之長者曰毫皮之文理曰腠理然二者皆皮之可見者是故刺毫毛腠理無傷皮皮傷則內動肺肺動則秋病溫瘧泝泝然寒慄鍼經曰凡刺有五以應五藏一曰半刺半刺者淺內而疾發鍼令鍼傷多如拔髮狀以取皮氣此肺之應也然此其淺以應於肺腠理毫毛由應更淺當取髮根淺深之半亦肺之合皮王於秋氣故肺動則秋病溫瘧泝泝然寒慄也泝音素刺皮無傷肉肉傷則內動脾脾動則七十二日四季之月病腹脹煩不嗜食脾之

合肉寄王四季又其脉從腹內前廉入腹屬脾絡胃上鬲俠咽連舌本散舌下其支別者復從
胃別上鬲注心中故傷肉則痛脾脾動則四季之月病腹脹煩而不嗜食也七十二日四季之
月者謂三月六月九月十二月各十二日後土寄王十八日也刺肉無傷脉脉
傷則內動心心動則夏病心痛心之合脉王於夏氣真心少陰
之脉起於心中出屬心系心包心主之脉起於胷中出屬心包平人氣象論曰藏真通於心故
脉傷則動心心動則夏病心痛刺脉無傷筋筋傷則內動肝肝
動則春病熱而筋弛肝之合筋王於春氣鍼經曰熱則筋緩故筋傷則動
肝肝動則春病熱而筋弛緩弛猶縱緩也【弛】施是反刺筋無傷骨骨傷則
內動腎腎動則冬病脹腰痛腎之合骨王於冬氣要爲腎府故骨
傷則動腎腎動則冬病腰痛也腎之脉直行者從腎上貫肝鬲故脹也刺骨無傷

髓傷則銷鑠胻酸體解㑊然不去矣髓者骨之充鍼經曰髓海不足則腦轉耳鳴胻酸眩冒故髓傷則腦髓銷鑠胻酸體解㑊然不去也銷鑠謂髓腦銷鑠解㑊謂強不強弱不弱熱不熱寒不寒解㑊㑊然不可名之也腦髓銷鑠骨空之所致也釋音詩若反胻音[illegible]

○刺齊論篇第五十一新校正云按全元起本在第六卷

黃帝問曰願聞刺淺深之分謂皮肉筋脈骨之分位也岐伯對曰刺骨者無傷筋刺筋者無傷肉刺肉者無傷脈刺脈者無傷皮刺皮者無傷肉刺肉者無傷筋刺筋者無傷骨帝曰余未知其所謂願聞其解岐伯曰刺骨無傷筋者鍼至筋而去不及

骨也。刺筋無傷肉者，至肉而去，不及筋也。刺肉無傷脉者，至脉而去，不及肉也。刺脉無傷皮者，至皮而去，不及脉也。是皆謂遣邪也。然筋有寒邪，肉有風邪，脉有濕邪，皮有熱邪，則如是遣之。所謂邪者，皆言其非順正氣而相干犯也。○新校正云：詳此謂刺淺不至所當刺之處也，下文則誠其大深也。【[illegible]】音市。【鍼】音針。所謂刺皮無傷肉者，病在皮中，鍼入皮中，無傷肉也。刺肉無傷筋者，過肉中筋也。刺筋無傷骨者，過筋中骨也。此謂之反也。此則誠過分大深也。○新校正云：按全元起云：刺如此者，是謂傷。此皆過，過必損其血氣，是謂逆也，邪必因而入也。

○刺禁論篇第五十二新校正云：按全元起在在第六卷

黃帝問曰：願聞禁數。歧伯對曰：藏有要害，不可不察。肝生於左，（肝象木，王於春，春陽發生，故生於左也。）肺藏於右，（肺象金，王於秋，秋陰收殺，故藏於右也。○新校正云：按楊上善云：肝爲少陽，陽長之始，故曰生；肺爲少陰，陰藏之初，故曰藏。）心部於表，（陽氣主外，心象火也。）腎治於裏，（陰氣主内，腎象水也。○新校正云：按楊上善云：心爲五藏部主，故得稱部；腎間動氣内治五藏，故曰治。）脾謂之使，（營動不已，糟粕水穀，長使者也。）胃爲之市，（水穀所歸，五味皆入，如市雜，故爲市也。）鬲肓之上，中有父母，（鬲肓之上，氣海居中。氣者生之原，生者命之主，故氣海爲人之父母也。○新校正云：按楊上善云：心下鬲上爲肓。心爲陽，父也；肺爲陰，母也。肺主於氣，心主於血，共榮衛於身，故爲父母。）七節之傍，中有小心，（小心謂眞心神靈之宫室。○新校正云：按《大素》小心作志心。楊上善云：脊有三

七二十一節腎在下七節之傍腎神曰志五藏之靈皆各爲神神之所以任得名爲志者心之神也

從之有福逆之有咎

從謂隨順也八者人之所以生形之所以成故順之則福延逆之則咎至

刺中心一日死其動爲噫

心在氣爲噫

刺中肝五日死其動爲語

肝在氣爲語○新校正云按全元起本并甲乙經語作欠元起云腎傷則欠子母相感也王氏改欠作語

刺中腎六日死其動爲嚏

腎在氣爲嚏○新校正云按全元起本及甲乙經六日作三日

刺中肺三日死其動爲欬

肺在氣爲欬

刺中脾十日死其動爲吞

脾在氣爲吞○新校正云按全元起本及甲乙經十日作十五日刺中五藏与診要經終論并四時刺逆從論相重此叙五藏相次之法以所生爲次甲乙經以心肺肝脾腎爲次是以所剋爲次全元起本舊文則錯亂无次矣

刺中膻一日半死其

動爲嘔。膽氣勇，故爲嘔。新校正云：按《診要經終論》刺中膽下又云：刺中鬲者爲傷中，其病雖愈，不過一歲死。刺跗上，中大脉，血出不止，死。跗爲足跗。大脉動而不止者，則胃之大經也。胃爲水穀之海，然血出不止，則胃氣將傾，海竭氣亡，故死。刺面中溜脉，不幸爲盲。面中溜脉者，手太陽、任脉之交會。手太陽脉自顴而斜行至目內眥，任脉自鼻鼽兩傍上行至瞳子下，故刺面中溜脉，不幸爲盲。刺頭中腦戶，入腦立死。腦戶，穴中也，在枕骨上，通於腦中。然腦爲髓之海，眞氣之所聚，鍼入腦則眞氣泄，故立死。刺舌下中脉太過，血出不止爲瘖。舌下脉，脾之脉也。脾脉者，挾咽連舌本，散舌下。血出不止，則脾氣不能營運於舌，故瘖不能言語。刺足下布絡中脉，血不出爲腫。布絡，謂當內踝前足下空處布散之絡，正當然谷穴分也。絡中脉，則衝脉也。衝脉者，並少陰之經下入內踝之後，入

戈下也然刺之而血不出則腎脉与衝脉氣并歸於然谷之中故爲腫

刺郄中大脉令人仆脫色

尋此經郄中主治与中誥流注經委中穴正同應郄中者以經穴爲名委中處所爲名亦猶寸口脉口氣口皆同一處爾然郄中大脉者足太陽經脉也足太陽之脉起於目內眥合手太陽手太陽脉自目內眥斜絡於顴足太陽脉上頭下項又循於足故刺之過禁則令人仆倒而面之色如脫去也

刺氣街中脉血不出爲腫鼠僕

氣街之中膽胃脉也膽之脉循脇裏出氣街胃之脉俠斉入氣街中其支別者起胃下口循腹裏至氣街中而合今刺之而血不出則血脉氣并聚於中故內結爲腫如伏鼠之形也氣街在腹下俠臍兩傍相去四寸鼠僕上一寸動脉應手也○新校正云按別本僕一作鼷氣府論注氣街在臍下横骨兩端鼠鼷上一寸也

刺脊間中髓爲傴

傴謂傴僂身腃屈也脊間謂脊骨節間也刺中髓則骨精氣泄故傴僂也

刺乳上中

乳旁爲腫根蝕乳之上下皆足陽明之脉也乳旁之中乳液滲泄胷中氣血皆外湊之然刺中乳房則氣血交湊故爲大膿中有膿根內蝕肌膚化爲膿水而久故不愈也刺缺盆中內陷氣泄令人喘欬逆五藏者肺爲之蓋缺盆爲之道肺藏氣而主息又在氣爲欬刺缺盆中內陷則肺氣外泄故令人喘欬逆也刺手魚腹內陷爲腫手魚腹內肺脉所流故刺之內陷則爲腫也○新校正云按甲乙經肺脉所流當作留字無刺大醉令人氣亂脉數過度故因刺而亂也○新校正云按靈樞經氣乱當作脉乱無刺大怒令人氣逆怒者氣逆故刺之益甚無刺大勞人經氣越也無刺新飽人氣盛滿也無刺大饑人氣不足也無刺大渴人血脉乾也無刺大驚人神蕩越而氣不治也○新校正云詳无刺大醉至此六條与靈樞經相出入靈樞經云新内无

刺已刺無內大怒无刺已刺无怒大勞无刺已刺無勞大醉无刺已刺無醉大飽無刺已刺无飽大飢無刺已刺無飢大渴无刺已刺無渴大驚大恐必定其氣乃刺之也

刺陰股中大脉，血出不止死。陰股之中脾之脉也脾者中央土孤藏以灌四傍今血出不止脾氣將竭故死○新校正云按刺陰股中大脉條皇甫士安移在前刺跗上中大脉下相續自後至篇末逐條與前條補闕也

刺客主人內陷中脉，為內漏為聾。客主人穴名也今名上關在耳前上廉起骨開口有空手少陽足陽明脉交會於中陷脉言刺太深也刺太深則交脉破決故為耳內之漏脉內漏則氣不營故聾○新校正云詳客主人穴與氣穴論注同按甲乙經及氣府論注云手足少陽足陽明三脉之會疑此脫一足少陽脉也

刺膝髕出液為跛。膝為筋府筋會於中液出筋乾故跛髕音牝

刺臂太陰脉出血多立死。臂太陰者肺脉也肺者主行榮衛陰

陽治節由之血出多則榮衛絶故立死刺足少陰脉重虛出血爲

舌難以言足少陰腎脉也足少陰脉貫腎絡肺繫舌本故重虛出血則舌難言也

刺膺中陷中肺爲喘逆仰息肺氣上泄逆所致也刺肘中

內陷氣歸之爲不屈伸肘中謂肘屈折之中尺澤穴中也刺過陷脉惡

氣歸之氣固關節故不屈伸也刺陰股下三寸內陷令人遺溺

股下三寸腎之絡也衝脉與少陰之絡皆起於腎下出於氣街並循於陰股其上行者出胞中

故刺陷脉則令人遺溺也刺掖下脇間內陷令人欬掖下肺脉也肺

之脉從肺系橫出掖下真心藏脉直行者從心系却上掖下刺陷脉則心肺俱動故欬也刺

少腹中膀胱溺出令人少腹滿胞氣外泄穀氣歸之故少腹滿

也少腹謂齊下也刺腨腸內陷爲腫腨腸之中足太陽脉也太陽氣泄故

爲腫

刺匡上陷骨中脉，爲漏爲盲。匡，目匡也。骨中，謂目匡骨中也。匡骨中脉，目之系，肝之脉也。刺內陷則眼系絶，故爲目漏目盲。

刺關節中液出，不得屈伸。諸筋者皆屬於節，津液滲潤之。液出則筋膜乾，故不得屈伸也。

○刺志論篇第五十三 新校正云：按全元起本在第六卷。

黄帝問曰：願聞虚實之要。岐伯對曰：氣實形實，氣虚形虚，此其常也，反此者病。陰陽應象大論曰：形歸氣。由是故虚實同焉。反，謂不相合應，失常平之候也。形氣相反，故病生。氣，謂脉氣；形，謂身形也。穀盛氣盛，穀虚氣虚，此其常也，反此者病。靈樞經曰：營氣之道，內穀爲實，穀入於胃，氣傳與肺，精專者上行經隧。由是故穀氣虚實占必同焉。候不相應，則爲病也。○新校正云：按甲乙經實作寶。脉實血實，脉虚血虚，此其常也。反此者病。脉者血之府，故虚實同焉，反不相應則為病也。帝曰：如何而反？岐伯曰：氣虚身熱，此謂反也。氣虚為陽氣不足，陽氣不足當身寒，反身熱者，脉氣當盛，脉不盛而身熱，證不相符，故謂反也。○新校正云：按甲乙經云：氣盛身寒，氣虚身熱，此謂反也。當補此四字。穀入多而氣少，此謂反也。胃之所出者穀氣，而布於經脉也。穀入於胃，脉道乃散，今穀入多而氣少者，是胃氣不散，故謂反也。穀不入而氣多，此謂反也。胃氣外散，脉并之也。脉盛血少，此謂反也。脉少血多，此謂反也。經脉行氣，絡脉受血，經氣入絡，絡受經氣，假不相合，故皆反常也。氣盛身寒，得之傷寒。氣虚身熱，得之傷暑。傷謂觸冒也。寒傷形，故氣盛身寒；熱傷氣，故氣虚身熱。穀入多而氣少者，得之有所脱血，濕居下也。

脘血則血虛而虛則氣盛內鬱化成津液流入下焦故云濕居下也穀入少而氣多者邪在胃及與肺也胃氣不足肺氣下流於胃中故邪在胃然肺氣入胃則肺氣不自守氣不自守則邪氣從之故云邪在胃及與肺也脉小血多者飲中熱也飲謂留飲也飲留脾胃之中則脾氣溢溢則發熱中脉大血少者脉有風氣水漿不入此之謂也風氣盛滿則水漿不入於脉夫實者氣入也虛者氣出也入為陽出為陰陰生於內故出陽生於外故入氣實者熱也氣虛者寒也陽盛而陰內拒於熱陰盛而陽外微故寒入實者左手開鍼空也入虛者左手閉鍼空也言用鍼之補寫也右手持鍼左手捻穴故實者右手開鍼空以寫之虛者左手閉鍼空以補之也捻音涅

○鍼解篇第五十四 新校正云按全元起本在第六卷

黃帝問曰願聞九鍼之解虛實之道岐伯對曰刺虛則實之者鍼下熱也氣實乃熱也滿而泄之者鍼下寒也氣虛乃寒也菀陳則除之者出惡血也 菀積也陳久也除去也言絡脈之中血積而久者鍼刺而除去之也 邪盛則虛之者出鍼勿按 邪者不正之目非本經氣是則謂邪非言鬼毒精邪之所勝也出鍼勿按穴俞且開故得經虛邪氣發泄也 徐而疾則實者徐出鍼而疾按之疾而徐則虛者疾出鍼而徐按之 徐出謂得經氣已久乃出之疾按謂鍼出穴已速疾按之則真氣不泄經脈氣全故徐而疾乃實也疾出鍼謂鍼入穴已至於經脈即疾出之徐按謂鍼出穴已徐緩按之則邪氣得泄

精氣傷問故疾而徐乃虛也言實與虛者寒溫氣多少也寒溫謂經脈陰陽之氣也若無若有者疾不可知也言其冥昧不可即而知也夫不可即知故若無慧然神悟故若有也察後與先者知病先後也知病先後乃補寫之為虛與實者工勿失其法鍼經曰經氣已至慎守勿失此之謂也○新校正云按甲乙經云若有若亡為虛與實若得若失者離其法也妄為補寫離亂大經誤補實者轉令若得誤寫虛者轉令若失故曰若得若失也鍼經曰無實實無虛虛此其誡也○新校正云詳自篇首至此與太素九鍼解篇經同而解異二經互相發明也虛實之要九鍼最妙者為其各有所宜也熱在頭身宜鑱鍼肉分氣滿宜員鍼脈氣虛少宜鍉鍼寫熱出血發泄固病宜鋒鍼破癰腫出膿血宜鈹鍼調陰陽去暴痺宜員利鍼治經絡中痛痺宜毫鍼痺深居骨

解腰脊節腠之間者宜長鍼虛風舍於骨解皮膚之間宜大鍼此之謂各有所宜也。新校正云按別本鉟一作鈹鈹音皮

補寫之時者與氣開闔相合也

氣當時刻謂之開巳過未至謂之闔時刻者然水下一刻人氣在太陽水下二刻人氣在少陽水下三刻人氣在陽明水下四刻人氣在陰分水下不巳氣行不巳如是則當刻者謂之開過刻及未至者謂之闔也鍼經曰謹候其氣之所在而刺之是謂逢時此所謂補寫之時也。新校正云詳自篇首至此文出靈樞經素問解之互相發明也甲乙經補寫之時以鍼為之者也脫此四字

九鍼之名各不同形者鍼窮其所當補寫也

各不同形謂長短鋒頴不等窮其補寫謂各隨其療而用之也。新校正云按九鍼之形今具甲乙經

刺實須其虛者留鍼陰氣隆至乃去鍼也

刺虛須其實者陽氣隆至鍼下熱乃去鍼也

言要以氣至而有効也經氣已至慎守勿失者勿變更也變謂變易更謂改更皆變法也言得氣至必宜謹守無變其法反招損也淺深在志者知病之内外也志一為意志意皆行鍼之用也近遠如一者深淺其候等也言氣雖近遠不同然其測候皆以氣至而有効也如臨深淵者不敢墮也言氣候補寫如臨深淵不敢墮慢失補寫之法也手如握虎者欲其壯也壯謂持鍼堅定也鍼經曰持鍼之道堅者為實則其義也○新校正云按甲乙經實字作寶神無營於衆物者靜志觀病人無左右視也目絶妄視心專一務則用之必中無惑誤也○新校正詳從刺實須其虚至此文見寶命全形論此又為之解亦互相發明也義無邪下者欲端以正也正指直刺鍼無左右必正其神者欲瞻病人

目制其神令氣易行也檢彼精神令無散越則氣爲神使中外易調也

所謂三里者下膝三寸也所謂跗之者新校正云按全元起本跗之作低跗太素作付之注骨空論跗之疑作跗上舉膝分易見也三里穴名正在膝下三寸䯒外兩筋肉分間極重按之則足跗上動脈止矣故曰舉膝分易見

巨虛者蹻足䯒獨陷者巨虛穴名也蹻謂舉也取巨虛下廉當舉足取之則䯒外兩筋之間陷下也下廉者陷下者也欲知下廉穴者䯒外兩筋之間獨陷下者則其處也

帝曰余聞九鍼上應天地四時陰陽願聞其方令可傳於後世以爲常也岐伯曰

夫一人二地三人四時五音六律七星八風九野身形亦應之鍼各有所宜故曰九鍼新校正云詳此

（文与靈樞經相出入）人皮應天（覆蓋於物天之象也）人肉應地（柔厚安靜地之象也）人脉應人（盛衰變易人之象也）人筋應時（堅固貞定時之象也）人聲應音（備五音故）人陰陽合氣應律（交會氣通相生无替則律之象○新校正云按別本氣一作度）人齒面目應星（人面應七星者所謂面有七孔應之也○新校正云詳此注乃全元起之辭也）人出入氣應風（動出往來風之象也）人九竅三百六十五絡應野（身形之外野之象也）故一鍼皮二鍼肉三鍼脉四鍼筋五鍼骨六鍼調陰陽七鍼益精八鍼除風九鍼通九竅除三百六十五節氣此之謂各有所主也（一鑱鍼二員鍼三鍉鍼四鋒鍼五鈹鍼六員利鍼七毫鍼八長鍼九大鍼○新校正云按別本鈹一作鈹）人心意

應八風動靜不形風之象也人氣應天運行不息天之象也人髮齒耳目五聲應五音六律髮齒生長耳目清通五聲應同故應五音及六律也人陰陽脉血氣應地人陰陽有交會生成脉血氣有虛盈盛衰故應地也人肝目應之九肝氣通目木生數三三而三之則應之九也九竅三百六十五新校正云按全元起本无此七字人一以觀動靜天二以候五色七星應之以候髮母澤五音一以候宮商角徵羽六律有餘不足應之二地一以候高下有餘九野一節俞應之以候閉節三人變一分人候齒泄多血少十分角之變五分以候緩急六分不足三分寒關節第九分四時

人寒温燥濕四時一應之以候相反一四方各作解此一百二十四字蠹簡爛文義埋殘缺莫可尋究而上古書故且載之以佇後之具本也。新校正云詳王氏云一百二十四字今有一百二十三字又亡一字

。長刺節論篇第五十五新校正云按全元起本在第三卷

刺家不診聽病者言在頭頭疾痛爲藏鍼之藏猶深也言深刺之故下文曰。新校正云按全元起本云爲鍼之无藏字刺至骨病已上無傷骨肉及皮皮者道也皮者鍼之道故刺骨无傷骨肉及皮也陰刺入一傍四處治寒熱頭有寒熱則用陰刺法治之陰刺謂卒刺之如此數也。新校正云按別本卒刺一作平刺按甲乙經陽刺者正內一傍內四陰刺者左右卒刺之此陰刺疑是陽刺深專者刺大藏寒熱病氣深專攻中

者當刺五藏以振之迫藏刺背背俞也迫近也漸近於藏則刺背五藏之俞也刺之迫藏藏會言刺近於藏者何也以是藏氣之會發也腹中寒熱去而止言刺背俞者无問其數要以寒熱去乃止鍼與刺之要發鍼而淺出血若與諸俞刺之則如此治腐腫者刺腐上視癰小大深淺刺腐腫謂腫中肉腐敗為膿血者癰小者淺刺之癰大者深刺之○新校正云按全元起本及甲乙經腐作癰刺大者多血小者深之必端內鍼為故止癰之大者多出血癰之小者但直鍼之而已○新校正云按甲乙經云刺大者多而深之必端內鍼為故止也此文云小者深之疑此誤病在少腹有積刺皮髓以下至少腹而止刺俠脊兩傍四椎間刺兩髂髎季脇肋間導腹中氣熱下已

少腹積謂寒熱之氣結積也皮骺謂齊下同身寸之五寸横約文審刺而勿過深之刺禁論曰刺少腹中膀胱溺出令人少腹滿由此故不可深之矣俠脊四椎之間據經无俞恐當云五椎間五椎之下兩傍正心之俞心應少腹故當言之間也髎謂腰骨髎一爲髁字形相近之誤也髎謂居髎腰側穴也季脇肋間當是刺季脇之間京門穴也○新校正云按釋音皮骺作皮骷是骺誤作髓也及徧尋篇韻中无骺字只有骷骨端也皮骷者蓋謂齊下横骨之端也全元起本作皮髓元起注云臍傍埵起也亦未爲得鹽口亞反骷光抹反

病在少腹腹痛不得大小便病名曰疝得之寒刺少腹兩股間刺腰髁骨間刺而多之盡炅病已

厥陰之脉環陰器抵少腹衝脉與少陰之絡皆起於腎下出於氣街循陰股其後行者自少腹以下骨中央女子入繫廷孔其絡循陰器合篡間繞篡後別繞臀至少陰與巨陽中絡者合少陰上股內後廉貫脊

髎臀其男子循莖下至篡與女子等故刺少腹又兩股間又刺腰髁骨間也腰髁骨者腰房俠脊平立陷者中按之有骨處也疝爲寒生故多刺之少腹盡熱乃止鍼盡熱也○新校正云按別本篡一作基又初患反病在筋筋攣節痛不可以行名曰筋痹刺筋上爲故刺分肉間不可中骨也分謂肉分間有筋維絡處也刺筋無傷骨故不可中骨也病起筋炅病已止筋雍痺生故得筋熱病已乃止病在肌膚肌膚盡痛名曰肌痹傷於寒濕刺大分小分多發鍼而深之以熱爲故大分謂大肉之分小分謂小肉之分無傷筋骨傷筋骨癰發若變鍼經曰病淺鍼深內傷良肉皮膚爲癰又曰鍼大深則邪氣反沉病益甚傷筋骨則鍼大深故癰發若變也諸分盡熱病已止熱可消寒故病已則止病在骨骨重

不可舉骨髓痠痛寒氣至名曰骨痺深者刺無
傷脉肉爲故其道大分小分骨熱病已止骨痺刺无傷脉肉者何自刺其氣通肉之大小分中也病在諸陽脉且寒且熱
諸分且寒且熱名曰狂氣狂亂也刺之虛脉視分盡
熱病已止病初發歲一發不治月一發不治月
四五發名曰癲病刺諸分諸脉其無寒者以鍼
調之病已止新校正云按甲乙經云刺諸分其脉尤寒以鍼補之病風且
寒且熱炅汗出一日數過先刺諸分理絡脉汗
出且寒且熱三日一刺百日而已病大風骨節
重鬚眉墮名曰大風刺肌肉爲故汗出百日泄衛

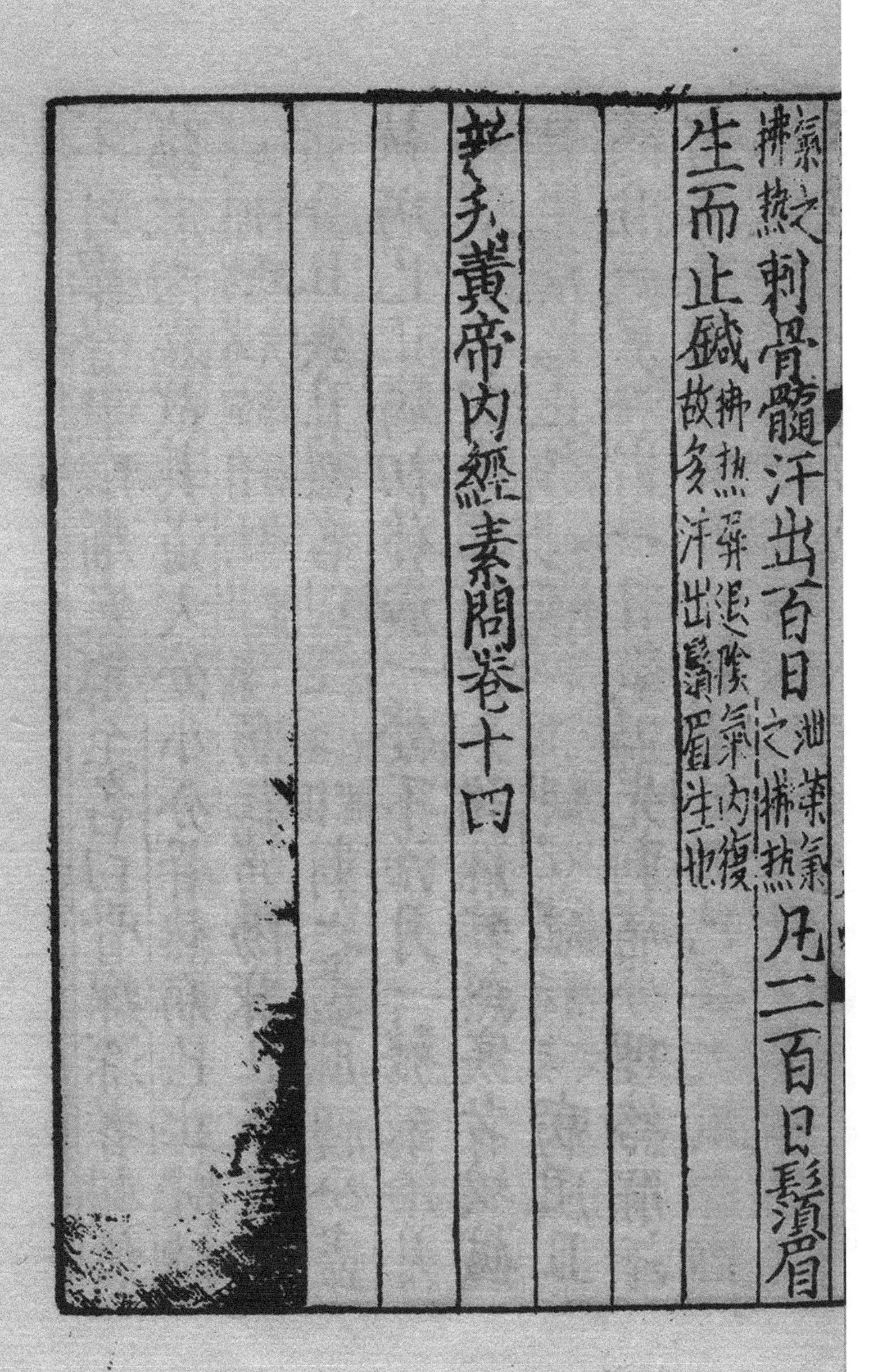

氣之拂熱刺骨髓汗出百日泄衛氣之拂熱凡二百日鬚眉

生而止鍼拂熱屏退陰氣內復故多汗出鬚眉生也

新刊黃帝內經素問卷十四

新刊黃帝內經素問卷十五

啓玄子次註林億孫奇高保衡等奉敕校正孫兆重改誤

○皮部論篇第五十六 新校正云按全元起本在第二卷

黃帝問曰：余聞皮有分部，脉有經紀，筋有結絡，骨有度量，其所生病各異，別其分部，左右上下，陰陽所在，病之始終，願聞其道。岐伯對曰：欲知皮部以經脉爲紀者，諸經皆然。循經脉行止所主，則皮部可知。謂經謂十二經脉也，十二經脉皆同。陽明之陽，名曰害蜚，蜚生化也，害殺氣也殺氣行則生化弭故曰害蜚蜚扶沸切上下同法視其部中有浮絡者皆陽明之絡也上謂手陽明下謂足陽明也其色多青則痛多黑則痺黃赤則熱多白則寒五色皆見則寒熱也絡盛則入客於經陽主外陰主内陽謂陽絡陰謂陰絡此通言之也手足身分所見經絡皆然少陽之陽名曰樞持樞謂樞要持謂執持上下同法視其部中有浮絡者皆少陽之絡也絡盛則入客於經故在陽者主内在陰者主出以滲於内諸經皆然太陽之陽名曰關樞關司外動以静鎮為事如樞之運則氣和平也上下同法視其部中有浮絡者皆太陽之絡也絡盛則入客

於經少陰之陰名曰樞儒儒順也守要而順陰陽開闔之用也○新校正云按甲乙經儒作檽上下同法視其部中有浮絡者皆少陰之絡也絡盛則入客於經其入經也從陽部注於經其出者從陰內注於骨心主之陰名曰害肩心主脉入掖下氣不和則妨害肩掖之動運上下同法視其部中有浮絡者皆心主之絡也絡盛則入客於經太陰之陰名曰關蟄関閉蟄類使順行藏○新校正云按甲乙經蟄作執上下同法視其部中有浮絡者皆太陰之絡也絡盛則入客於經部皆謂本經絡之所部分浮謂浮見也凡十二經絡脉者皮之部也列陰陽位部主於皮故曰皮之部也是故

百病之始生也，必先於皮毛，邪中之則腠理開，開則入客於絡脉，留而不去，傳入於經，留而不去，傳入於府，廩於腸胃。廩，積也，聚也。邪之始入於皮也，泝然起毫毛，開腠理；泝然，惡寒也。起，謂毛起竪也。腠理，皆謂皮空及文理也。其入於絡也，則絡脉盛色變；盛，謂盛滿。變，謂易其常也。其入客於經也，則感虛乃陷下；經虛邪入，故曰感虛。脉虛氣少，故陷下也。其留於筋骨之間，寒多則筋攣骨痛，熱多則筋弛骨消，肉爍䐃破，毛直而敗。攣，急也。弛，緩也。消，爍也。鍼經曰：寒則筋急，熱則筋緩，寒勝爲痛，熱勝爲氣消。䐃者，肉之標，故肉消則䐃破毛直而敗也。䐃，渠殞反。帝曰：夫子言皮之十二部，其生病皆何如？岐伯曰皮者脉之部也脉氣流行各有入出陽氣隨經所過而部主之故云脉之部邪客於皮則腠理開開則邪入客於絡脉絡脉滿則注於經脉經脉滿則入舍於府藏也故皮者有分部不與而生大病也脉行皮中各有部分脉受邪氣隨則病生非由皮氣而能生也○新校正云按甲乙經不与作不愈全元起本作不与元起云言不与經脉和調則氣傷於外邪流入於內必生大病也帝曰善

○經絡論篇第五十七新校正云按全元起本在皮部論末王氏分篇

黃帝問曰夫絡脉之見也其五色各異青黃赤白黑不同其故何也岐伯對曰經有常色而絡無常變也經行氣故色見常應於時絡主血故受邪則變而不一矣帝曰經

之常色何如歧伯曰心赤肺白肝青脾黄腎黑皆亦應其經脉之色也帝曰絡之陰陽亦應其經乎歧伯曰陰絡之色應其經陽絡之色變無常隨四時而行也順四時氣化之行止寒多則凝泣凝泣則青黑熱多則淖澤淖澤則黄赤此皆常色謂之無病五色具見者謂之寒熱淖濕也澤潤液也謂微濕潤也

帝曰善

○氣穴論第五十八新校正云按全元起本在第二卷

黄帝問曰余聞氣穴三百六十五以應一歲未知其所願卒聞之歧伯稽首再拜對曰窘乎哉

問也其非聖帝孰能窮其道焉因請溢意盡言其處[孰誰也]帝捧手逡巡而却曰夫子之開余道也目未見其處耳未聞其數而目以明耳以聰矣[目以明耳以聽言心志通明過如意也]岐伯曰此所謂聖人易語良馬易御也帝曰余非聖人之易語也世言真數開人意今余所訪問者真數發蒙解惑未足以論也[問氣穴真數庶將解彼蒙昧之疑惑未足以論述深微之意也]然余願聞夫子溢志盡言其處令解其意請藏之金匱不敢復出[言其深請究俞處所]岐伯再拜而起曰臣請言之背與心相控而痛所治天突與十椎及上

紀天突在頸結喉下同身寸之四寸中央宛宛中陰維任脉之會低鍼取之刺可入同身寸之一寸留七呼若灸者可灸三壯按今甲乙經經脉流注孔穴圖經當脊十椎下並無穴目恐是七椎也此則督脉氣所生之上紀之處次如下說○新校正云按甲乙經云天突在結喉下五寸上紀者胃脘也謂中脘也中脘者胃募也在上脘下同身寸之一寸居心蔽骨与齊之中手大陽少陽足陽明三脉所生任脉氣所發也刺可入同身寸之一寸二分若灸者可灸七壯○新校正云按甲乙經云任脉之會也臧必察反下紀者關元也關元小腸募也在齊下同身寸之三寸足三陰任脉之會刺可入同身寸之二寸留七呼若灸者可灸七壯背胷邪繫陰陽左右如此其病前後痛濇胷脇痛而不得息不得卧上氣短氣偏痛新校正云按別本偏一作滿脉滿起斜出尻脉絡胷脇支心貫

鬲上肩加天突斜下肩交十椎下

尋此支絡脈流注病形證悉是督脈支絡自尾骶出各上行斜絡脇支心貫鬲上加天突斜之肩而下交於十椎○新校正云詳自背与心相控而痛至此疑是骨空論文簡脫誤於此

藏俞五十穴

藏謂五藏肝心脾肺腎非兼匹形藏也俞謂井滎俞經合非背俞也然井滎俞經合者肝之井者大敦也滎行間也俞大衝也經中封也合曲泉也大敦在足大指端去爪甲角如韭葉及三毛之中足厥陰脈之所出也刺可入同身寸之三分留十呼若灸者可灸三壯行間在足大指之間脈動應手陷者中足厥陰之所流也○新校正云按甲乙經留作流餘所流並作留○刺可入同身寸之三分留十呼若灸者可灸三壯大衝在足大指本節後同身寸之二寸陷者中○新校正云按刺腰痛注云本節後內間同身寸之二寸陷者中動脈應手足厥陰脈之所注也刺可入同身寸之三分留十呼若灸者可灸三壯中封在足內踝前同身寸之一寸半○新校正

云按甲乙經云一寸○陷者中仰足而取之傍
足乃得之足太陰脈之所行也刺可入同身寸
之四分留七呼若灸者可灸三壯曲泉在膝內
輔骨下大筋上小筋下陷者中屈膝而得之足
厥陰脈之所入也刺可入同身寸之六分留十
呼若灸者可灸三壯心包之井者中衝也滎勞
宮也俞大陵也經間使也合曲澤也中衝在手
中指之端去爪甲角如韭葉陷者中手心主脈
之所出也刺可入同身寸之一分留三呼若灸
者可灸一壯勞宮在掌中央動脈手心主脈之
所流也刺可入同身寸之三分留六呼若灸者
可灸三壯太陵在掌後骨兩筋間陷者中手心
主脈之所注也刺可入同身寸之六分留七呼
若灸者可灸三壯間使在掌後同身寸之三寸
兩筋間陷者中手心主脈之所行也刺可入同
身寸之六分留七呼若灸者可灸七壯○新校
正云按甲乙經云灸三壯○曲澤在肘內廉下
陷者中屈肘而得之手心主脈之所入也刺可
入同身寸之三分留七呼若灸者可灸三壯脾
之井者隱白也滎大都也俞太白也經商丘也

周一五

合陰陵泉也隱白在足大指之端內側去爪甲
角如韭葉足太陰脉之所出也刺可入同身寸
之一分留三呼若灸者可灸三壯大都在足大
指本節後陷者中足大陰脉之所流也刺可入
同身寸之三分留七呼若灸者可灸三壯大白
在足內側核骨下陷者中足大陰脉之所注也
刺可入同身寸之三分留七呼若灸者可灸三
壯商丘在足內踝下微前陷者中足大陰脉之
所行也刺可入同身寸之四分留七呼若灸者
可灸三壯陰陵泉在膝下內側輔骨下陷者中
伸足乃得之足大陰脉之所入也刺可入同身
寸之五分留七呼若灸者可灸三壯肺之井者
少商也滎魚際也俞大淵也經經渠也合尺澤
也少商在手大指之端內側去爪甲角如韭葉
手大陰脉之所出也刺可入同身寸之一分留
一呼若灸者可灸三壯○新校正云按甲乙經
作一壯○魚際在手大指本節後內側散脉手
大陰脉之所流也刺可入同身寸之二分留三
呼若灸者可灸三壯大淵在掌後陷者中手大
陰脉之所注也刺可入同身寸之二分留二呼

若灸者可灸三壯經渠在寸口陷者中手大陰
脉之所行也刺可入同身寸之三分留三呼不
可灸灸傷人神明尺澤在肘中約上動脉手大陰
脉之所入也刺可入同身寸之三分留三呼若
灸者可灸三壯臂之井者涌泉也衆然谷也俞
大谿也經復溜也○新按正云梭甲乙經溜作
留餘溜字並同○合陰谷也涌泉在足心陷者
中蛩足捲指宛宛中足少陰脉之所出也刺可
入同身寸之三分留二呼若灸者可灸三壯然
谷在足内踝前起大骨下陷者中足少陰脉之
所流也刺可入同身寸之三分留三呼若灸者
可灸三壯刺此多見血令人立鐵欲食大谿在
足内踝後跟背上動脉陷者中足少陰脉之所
注也刺可入同身寸之三分留七呼若灸者可
灸三壯復溜在足内踝上同身寸之二寸陷者
中○新校正云按刺腰痛篇注云在内踝後上
二寸動脉○足少陰脉之所行也刺可入同身
寸之三分留三呼若灸者可灸五壯陰谷在脉
下内輔骨之後大筋之下小筋之上按之應手
丞脥而得之足少陰脉之所入也刺可入同身

寸之四分若灸者可灸三壯如是五藏之俞藏各五穴則二十五俞以左右脈則而言之則五十穴

府俞七十二穴

府謂六府非兼九形府也俞亦謂井滎俞原經合非背俞也府之府膽又之井者竅陰也滎俠谿也俞臨泣也原丘墟也經陽輔也合陽陵泉也竅陰在足小指次指之端去爪甲角如韭葉足少陽脈之所出也刺可入同身寸之一分留一呼○新校正云按甲乙經作三呼○若灸者可灸三壯俠谿在足小指次指歧骨間本節前陷者中足少陽脈之所流也刺可入同身寸之三分留三呼若灸者可灸三壯臨泣在足小指次指本節後間陷者中去俠谿同身寸之一寸半足少陽脈之所注也刺可入同身寸之三分○新校正云按甲乙經作二分○留五呼若灸者可灸三壯丘墟在足外踝下如前陷者中去臨泣同身寸之三寸足少陽脈之所過也刺可入同身寸之五分留七呼若灸者可灸三壯陽輔在足外踝上○新校正云按甲乙經云外踝上四寸輔骨前絕骨之端如前同身寸之三分所去丘墟

同身寸之七寸足少陽脉之所行也刺可入同身寸之五分留七呼若灸者可灸三壯陽陵泉在膝下同身寸之一寸髀外廉陷者中足少陽脉之所入也刺可入同身寸之六分留十呼甘灸者可灸三壯解之府胃之井者房穴也荥內寘也俞陷谷也原衝陽也經觧谿也合三里也房穴在足大指次指之端去爪甲角如悲葉足陽明脉之所出也刺可入同身寸之一分留一呼若灸者可灸一壯內庭在足大指次指外間陷者中足陽明脉之所流也刺可入同身寸之三分留十呼○新校正云接甲乙經云作二十呼○若灸者可灸三壯陷谷在足大指次指外間本節後陷者中去內庭同身寸之二寸足陽明脉之所注也刺可入同身寸之五分留七呼若灸者可灸三壯衝陽在足跗上同身寸之五寸骨間動脉上去陷谷同身寸之三寸足陽明脉之所過也刺可入同身寸之三分留十呼若灸者可灸三壯解谿在衝陽後同身寸之二寸半○新校正云接甲乙經作一寸半刺癃注作三寸半素問二注不同當從甲乙經之諸○

腕上陷者中足陽明脈之所行也刺可入同身
寸之五分留五呼若灸者可灸三壯三里在膝
下同身寸之三寸胻骨外廉兩筋肉分間足陽
明脈之所入也刺可入同身寸之一寸留七呼
若灸者可灸三壯胻之脊大腸大陽之井者商
陽也滎二間也俞三間也原合谷也經陽谿也
合出也也商陽在手大指次指內側去爪甲角
如韭葉一手陽明脈之所出也刺可入同身寸之
一分留一呼若灸者可灸三壯二間在手大指
次指本節前內側陷者中手陽明脈之所流也
刺可入同身寸之三分留六呼若灸者可灸三
壯三間在手大指次指本節內側陷者中手陽
明脈之所注也刺可入同身寸之三分留三呼
若灸者可灸三壯合谷在手大指次指岐骨之
間手陽明脈之所過也刺可入同身寸之三分
留六呼若灸者可灸三壯陽谿在腕中上側兩
筋間陷者中手陽明脈之所行也刺可入同身
寸之三分留七呼若灸者可灸三壯曲池在肘
外輔骨屈肘兩骨之中手陽明脈之所入也以手
拱胷取之刺可入同身寸之五分留七呼若灸

者可灸三壯心之府小腸小腸之井者少澤也
滎前谷也俞後谿也泉腕骨也經陽谷也合少
海也少澤在手小指之端去爪甲下同身寸之
一分陷者中手大陽脉之所出也刺可入同身
寸之一分留二呼若灸者可灸一壯前谷在手
小指外側本節前陷者中手大陽脉之所流也
刺可入同身寸之一分留三呼若灸者可灸三
壯後谿在手小指外側本節後陷者中手大陽
脉之所注也刺可入同身寸之一分留二呼若
灸者可灸一壯腕骨在手外側腕前起骨下陷
者中手太陽脉之所過也刺可入同身寸之二
分留三呼若灸者可灸三壯陽谷在手外側腕
中銳骨之下陷者中手大陽脉之所行也刺可
入同身寸之二分留三呼○新校正云按甲乙
經作二呼○若灸者可灸三壯少海在肘內大
骨外去肘端同身寸之五分陷者中屈肘乃得
之手大陽脉之所入也刺可入同身寸之二分
留七呼若灸者可灸五壯心包之府三焦三焦
之井者關衝也滎液門也俞中渚也泉陽池也
經支溝也合天井也關衝在手小指次指之端

去爪甲角如韭葉手少陽脉之所出也刺可入
同身寸之一分留三呼若灸者可灸三壯液門
在手小指次指間陷者中手少陽脉之所流也
刺可入同身寸之二分留二呼若灸者可灸三
壯中渚在手小指次指本節後間陷者中手少
陽脉之所注也刺可入同身寸之二分留三呼
若灸者可灸三壯陽池在手表腕上陷者中手
少陽脉之所過也刺可入同身寸之二分留六
呼若灸者可灸三壯支溝在腕後同身寸之三
寸兩骨之間陷者中手少陽脉之所行也刺可
入同身寸之二分留七呼若灸者可灸三壯天
井在肘外大骨之後同身寸之一寸兩筋間陷
者中屈肘得之手少陽脉之所入也刺可入同
身寸之一寸留七呼若灸者可灸三壯腎之府
膀胱膀胱之井者至陰也滎通谷也俞束骨也
原京骨也經崑崙也合委中也至陰在足小指
外側去爪甲角如韭葉足太陽脉之所出也刺
可入同身寸之一分留五呼若灸者可灸三壯
通谷在小指外側本節前陷者中太陽脉之所
流也刺可入同身寸之二分留五呼若灸者可

灸三壯束骨在足小指外側本節後赤白肉際陷者中足大陽脉之所注也刺可入同身寸之三分留三呼若灸者可灸三壯京骨在足外側大骨下赤白肉際陷者中按而得之足大陽脉之所過也刺可入同身寸之三分留七呼若灸者可灸三壯崑崙在足外踝後跟骨上陷者中細脉動應手足大陽脉之所行也刺可入同身寸之五分留十呼若灸者可灸三壯委中在膕中央約文中動脉○新校正云詳委中穴与甲乙經及刺瘧篇注痺論注同又骨空論云在膝解之後曲脚之中背面取之又熱穴論注刺熱篇注云在足膝後屈處○足大陽脉之所入也刺可入同身寸之五分留七呼若灸者可灸三壯如是六府之俞府各六穴則三十六俞以左右脉俱而言之則七十二穴

熱俞五十九穴水俞五十七穴並具水熱論中○新校正云按熱俞又見刺熱篇注頭上五行行五五五二十五穴此亦熱俞之五十九穴也中脂兩傍各五九十穴

謂五藏之背俞也肺俞在第三椎下兩傍心俞在第五椎下兩傍肝俞在第九椎下兩傍脾俞在第十一椎下兩傍腎俞在第十四椎下兩傍此五藏俞者各俠脊相去同身寸之一寸半並足太陽脉之會刺可入同身寸之三分肝俞留六呼餘並留七呼若灸者可灸三壯俠脊數之則十穴也

大椎上兩傍各一凡二穴

今甲乙經經脉流注孔穴圖經並不載未詳何俞也○新校正云按大椎上傍无穴大椎下傍穴名大杼後有故王氏云未詳

目瞳子浮白二穴

瞳子髎在目外去眥同身寸之五分手太陽手足少陽三脉之會刺可入同身寸之三分若灸者可灸三壯浮白在耳後入髮際同身寸之一寸足太陽少陽二脉之會刺可入同身寸之三分若灸者可灸三壯左右言之各二爲四也

兩髀厭分中二穴

謂環銚穴也在髀樞後足少陽大陽二脉之會刺可入同身寸之一寸留二呼若灸者可灸三壯○新校正云按王氏云在髀樞後按甲乙經云在髀樞中後當依

中灸三壯甲乙經作五壯

犢鼻二穴在膝臏下胻上俠解大筋中足陽明脉氣所發刺可入同身寸之六分若灸者可灸三壯

耳中多所聞二穴聽宮穴也在耳中珠子大如赤小豆手足少陽手大陽三脉之會刺可入同身寸之一分若灸者可灸三壯○新校正云按甲乙經云刺可入三分

眉本二穴攢竹穴也在眉頭陷者中足大陽脉氣所發刺可入同身寸之三分留六呼若灸者可灸三壯

完骨二穴在耳後入髮際同身寸之四分足太陽少陽之會刺可入同身寸之三分留七呼若灸者可灸三壯○新校正云刺可入三分灸七壯

項中央一穴風府穴也在項上入髮際同身寸之一寸大筋內宛宛中督脉陽維二經之會疾言其肉立起言休其肉立下刺可入同身寸之四分留三呼灸之不幸使人瘖

枕骨二穴竅陰穴也在完骨上枕骨下搖動應手足大陽少陽之會刺可入同身寸之三分若灸者可灸三壯○新校正云按甲乙經云刺可入四分灸

可五壯**上關二穴**鍼經所謂刺之則欬不能欠者也在耳前上廉起骨開口有空手少陽足陽明之會刺可入同身寸之三分留七呼若灸者可灸三壯刺深令人耳無所聞**大迎二穴**在曲頷前同身寸之一寸三分骨陷者中動脉足陽明脉氣所發刺可入同身寸之三分留七呼若灸者可灸三壯**下關二穴**鍼經所謂刺之則欠不能欬者也在上關下耳前動脉下廉合口有空張口而閉足陽明少陽二脉之會刺可入同身寸之三分留七呼若灸者可灸三壯耳中有乾擿之不得灸也○新校正云按甲乙經擿之作擿抵適音摘趍疒蒸切**天柱二穴**在俠項後髮際大筋外廉陷者中足太陽脉氣所發刺可入同身寸之二分留六呼若灸者可灸三壯**巨虛上下廉四穴**上廉足陽明与大腸合也在膝犢鼻下胻外廉同身寸之六寸足陽明脉氣所發刺可入同身寸之八分若灸者可灸三壯下廉足陽明与少陽合也在上廉下同身寸之三寸足陽明脉氣所發刺可

入同身寸之三分若灸者可灸三壯○新校正云按甲乙經并刺熱篇注水熱穴注上廉在三里下三寸此云犢鼻下六寸者蓋三里在犢鼻下三寸上廉又在三里下三寸故云六寸也

曲牙二穴頰車穴也在耳下曲頰端陷者中開口有空足陽明脈氣所發刺可入同身寸之三分若灸者可灸三壯

天突一穴已前釋也

天府二穴在腋下同身寸之三寸臂臑內廉動脈手太陰脈氣所發禁不可灸刺可入同身寸之四分留三呼臑奴到反

天牖二穴在頸筋間缺盆上天容後天柱前完骨下髮際上手少陽脈氣所發刺可入同身寸之一寸留七呼灸者可灸三壯

扶突二穴在頸當曲頰下同身寸之一寸人迎後手陽明脈氣所發仰而取之刺可入同身寸之四分若灸者可灸三壯

天窗二穴在曲頰下扶突後動脈應手陷者中手太陽脈氣所發刺可入同身寸之六分若灸者可灸三壯

肩解二穴謂肩井也在肩上陷解中缺盆上大骨前手足少陽陽維

之會刺可入同身寸之五分若灸者可灸三壯○新校正云按甲乙經灸五壯關元一穴新校正云詳此已前釋舊當補再注今去之委陽二穴三焦下輔俞也在膕中外廉兩筋間此足太陽之別絡刺可入同身寸之七分留五呼若灸者可灸三壯屈伸而取之肩貞二穴在肩曲甲下兩骨解間肩髃後陷者中手太陽脈氣所發刺可入同身寸之八分若灸者可灸三壯瘖門一穴在頭髮際宛宛中入係舌本督脈陽維二經之會仰頭取之刺可入同身寸之四分不可灸灸之令人瘖○新校正云按氣府注云去風府一寸齊一穴齊中也禁不可刺刺之使人齊中惡瘍潰矢出者死不可治若灸者可灸三壯胷俞十二穴謂俞府彧中神藏靈墟神封步廊左右則十二穴也俞府在巨骨下俠任脈兩傍橫去任脈各同身寸之二寸陷者中下五穴遞相去同身寸之一寸六分陷者中並足少陰脈氣所發仰而取之刺可入同身寸之四分若灸者可灸五壯背俞二

穴大杼之一穴也在脊第一椎下兩傍相去各同身寸之一寸半陷者中督脈別絡手足太陽三脈氣之會刺可入同身寸之三分留七呼若灸者可灸七壯

膺俞十二穴謂雲門中府周榮胸鄉天谿食竇左右則十二穴也○新校正云按甲乙經作周榮胸鄉○雲門在巨骨下俠任脈傍橫去任脈各同身寸之六寸○新校正云按水熱穴注作胸中行兩傍与此文雖異處所无別陷者中動脈應手雲門中府相去同身寸之一寸餘五穴遞相去同身寸之一寸六分陷者中並手太陰脈氣所發雲門食竇舉臂取之餘並仰而取之雲門刺可入同身寸之七分太深令人逆息中府刺可入同身寸之三分留五呼餘刺可入同身寸之四分若灸者可灸五壯○新校正云詳王氏以此十二穴并手太陰按甲乙經雲門乃手太陰中府乃手足太陰之會周榮已下乃足太陰非十二穴並手太陰也

分肉二穴在足外踝上絕骨之端同身寸之三分筋肉分間陽維脈氣所發刺可入同身寸之三分留七呼若灸者可灸

三壯○新校正云按甲乙經无分肉穴詳處所疑是陽輔在足外踝上輔骨前絶骨端如前三分所又按刺腰痛注作絶骨之端如後三分刺入五分留十呼与此注小異

踝上横二穴内踝上者交信穴也交信去内踝上同身寸之二寸少陰前太陰後筋骨間足陰蹻之郄刺可入同身寸之四分留五呼若灸者可灸三壯外踝上附陽穴也附陽去外踝上同身寸之三寸太陽前少陽後筋骨間陽蹻之郄刺可入同身寸之六分留七呼若灸者可灸三壯○新校正云按甲乙經附陽作付陽

陰陽蹻四穴陰蹻穴在足内踝下是謂照海陰蹻所生刺可入同身寸之四分留六呼若灸者可灸三壯陽蹻穴是謂中脉陽蹻所生在外踝下陷者中○新校正云按刺腰痛篇注作在外踝下五分繆刺論注云外踝下半寸○容爪甲刺可入同身寸之二分留七呼若灸者可灸三壯○新校正云按甲乙經留七呼作六呼刺腰痛篇注作十呼

水俞在諸分分謂肉之分理間治水取之

熱俞在

氣穴寫熱則取之寒熱俞在兩骸厭中二穴髖厭謂膝外俠膝之骨厭中也大禁二十五在天府下五寸謂五里穴也所以謂之大禁者謂其禁不可刺也鍼經曰迎之五里中道而止五至而已五注而藏之氣盡矣故五五二十五而竭其俞矣盖謂此也又下五里者尺澤之後五里与此文同凡三百六十五穴鍼之所由行也新校正云詳自藏俞五十至此并重複共得三百六十穴通前天突十椎上紀下紀共三百六十五穴除重複實有三百一十三穴帝曰余已知氣穴之處遊鍼之居願聞孫絡谿谷亦有所應乎孫絡小絡也謂絡之支別者岐伯曰孫絡二百六十五穴會亦以應一歲以溢奇邪以通榮衛榮衛稽留衛散榮溢氣竭血著外為發熱內為少

氣疾寫無怠以通榮衛見而寫之無問所會榮積衛留內外相薄者見其血絡當即寫之亦無問其脉之俞會帝曰願聞谿谷之會也岐伯曰肉之大會為谷肉之小會為谿肉分之間谿谷之會以行榮衛以會大氣新校正云按甲乙經作以舍大氣邪溢氣壅脉熱肉敗榮衛不行必將為膿內銷骨髓外破大膕熱過故致是留於節湊必將為敗若留於骨節之間津液所湊之處則骨節之間髓液皆潰為膿故必爛筋骨而不得屈伸矣積寒留舍榮衛不居卷內縮筋新校正云按全元起本作寒肉縮筋肋肘不得伸內為骨痺外為不仁命曰不足大寒留於谿谷也邪氣盛甚真氣不榮髓溢內消故為

是也不足謂陽氣不足也寒邪外薄久積淹留陽不外勝內消筋髓故曰不足大寒留於谿谷之中也谿谷三百六十五穴會亦應一歲其小痺淫溢循脉往來微鍼所及與法相同若小寒之氣流行淫溢隨脉往來爲痺病用鍼調者与常法相同爾帝乃辟左右而起再拜曰今日發蒙解惑藏之金匱不敢復出乃藏之金蘭之室署曰氣穴所在岐伯曰孫絡之脉別經者其血盛而當寫者亦三百六十五脉並注於絡傳注十二絡脉非獨十四絡脉也十四絡者謂十二經絡兼任脉督脉之絡也脾之大絡起自於脾故不并言之也內解寫於中者十脉解謂骨解之中經絡也雖則別行然所受邪亦還注寫於五藏之脉左右各五

故十脈也

○氣府論篇第五十九

新校正云按全元起本在第二卷

足太陽脈氣所發者七十八穴 兼氣浮薄相通者言之當言九十三穴非七十八穴也正經脈會發者七十八穴浮薄相通者一十五穴則其數也 兩眉頭各一 謂攢竹穴也所在刺灸分壯与氣穴同法 入髮至項三寸半傍五相去三寸 謂大杼風門各二穴也所在刺灸分壯与氣穴同法○新校正云按別本云入髮至頂三寸又注云寸同身寸也諸寸同法与此注全別此注謂大杼風門各二穴所在灸刺分壯与此氣穴同法今氣穴篇中无風門穴而注言与注同法此注之非可見此非王氏之誤誤在後人詳此入髮至頂三寸半傍五相去三寸蓋是誤下文浮氣之在皮中五行行五之穴故王都不辯釋云云寸為同身寸也但以頂誤作項剩半字耳故以言入髮至頂

者自入髮顖會穴至頂百會凡二寸自百會後至後項又三寸故云入髮至項三寸傍五者爲兼中行傍數有五行也相去三寸者蓋謂自百會項中數左右前後各三寸有五行行五共二十五穴也後人誤將頂爲項以爲大杼風門此甚誤也況大杼在第一椎下兩傍風門又在第三椎下上去髮際非止三寸半也其誤甚明(顖)當信**其浮氣在皮中者凡五行行五五五二十五**浮氣謂氣浮而通之可以去熱者也五行謂頭上自髮際中同身寸之二寸後至頂之後者也二十五者其中行則顖會前頂百會後頂強間五督脈氣也次俠傍兩行則五處承光通天絡郄玉枕各五本經氣也又次傍兩行則臨泣目窗正營承靈腦空各五足少陽氣也其兩傍四行各五則二十穴中行五則二十五也其灸灸分壯与水熱穴同法**項中大筋兩傍各一**謂天柱二穴也所在刺灸分壯与氣穴同法**風府兩傍各一**謂風池一穴也刺灸分壯与氣穴同法○新校

正云按甲乙經風池足少陽陽維之會非太陽之所發也經言風府兩傍穴天柱穴之分位此亦覆明上項中大筋兩傍穴也此注刺出風池二穴於九十二數外更刺前大杼風門及此風池六穴也

俠背以下至尻尾二十一節十五間各一

十五間各一者今中誥孔穴圖經所存者十三穴左右共二十六謂附分魄户神堂譩譆鬲關魂門陽綱意舍胃倉肓門志室胞肓秩邊十三也附分在第二椎下附項內兩傍各相去俠脊同身寸之三寸足太陽之會刺可入同身寸之八分若灸者可灸五壯魄户在第三椎下兩傍上直附分足太陽脉氣所發下十二穴並同正坐取之刺可入同身寸之五分若灸者如附分法神堂在第五椎下兩傍上直魄户刺可入同身寸之三分灸同附分法譩譆在第六椎下兩傍上直神堂○新校正云按骨空論注云以手厭之令病人呼譩譆之声則指下動矣○刺可入同身之六分留七呼灸如附分法鬲關在第七椎下兩傍上直譩譆正坐開肩取之刺可

入同身寸之五分若灸者可灸三壯○新校正
云按甲乙經云可灸五壯○魂門在第九椎下
兩傍上直鬲關正坐取之刺灸分壯如鬲關法
陽綱在第十椎下兩傍上直魂門正坐取之刺
灸分壯如魂門法意舍在第十一椎下兩傍上
直陽綱正坐取之刺灸分壯如陽綱法胃倉在
第十二椎下兩傍上直意舍刺灸分壯如意舍
法肓門在第十三椎下兩傍上直胃倉刺同胃
倉可灸三十壯○新校正云按肓門灸三十壯
与甲乙經同水穴注作灸三壯○志室在第十
四椎下兩傍上直肓門正坐取之刺灸分壯如
魄戶法胞肓在第十九椎下兩傍上直志室伏
而取之刺灸分壯如魄戶法○新校正云按志
室胞肓灸如魄戶五壯甲乙經作三壯水穴注
亦依三壯熱穴注志室亦作三壯○秩邊在第二
十一椎下兩傍上直胞肓伏而取之刺灸分壯
如魄戶法譩譆上衣下喜

五藏之俞各五六府之俞各六

肺俞在第三椎下兩傍俠脊相去各同身寸之一寸半刺可入同身寸之三分留七呼若灸者可灸

三壯心俞在第五推下兩傍相去及刺如肺俞法留七呼肝俞在第九推下兩傍相去及刺如心俞法留六呼脾俞在第十一推下兩傍相去及刺如肝俞法留七呼腎俞在第十四推下兩傍相去及刺如脾俞法留七呼膽俞在第十推下兩傍相去及刺如肺俞法正坐取之刺可入同身寸之五分留七呼胃俞在第十二推下兩傍相去及刺如脾俞法留七呼三焦俞在第十三推下兩傍相去及刺如膽俞法大腸俞在第十六推下兩傍相去及刺如肺俞法留六呼小腸俞在第十八推下兩傍相去及刺如心俞法留六呼膀胱俞在第十九推下兩傍相去及刺如腎俞法留六呼五藏六府之俞若灸者並可灸三壯○新校正云詳或者疑經中各五各六以各字爲誤者非也所以言各者謂左右各五各六非謂每藏府而各五各六也

委中以下至足小指傍各六俞謂委中崑崙京骨束骨通谷至陰六穴也左右言之則十二俞也其所在刺灸如氣穴法經言脈氣所發者七十八穴今此所有兼亡者

九十三穴由此則大數差錯傳寫有誤也。新校正云詳王氏云兼亡者九十三穴今兼大杼風門風池爲九十九穴以此王氏總數考之明知此三穴後之妄增也足少陽脉氣所發者六十二穴兩角上各二謂天衝曲鬢左右各二也天衝在耳上如前同身寸之三分足太陽少陽二脉之會刺可入同身寸之三分若灸者可灸三壯曲鬢在耳上入髮際曲陽隅者中鼓頷有空足太陽少陽二脉之會刺灸分壯如天衝法直目上髮際內各五謂臨泣目窻正營承靈腦空左右是也臨泣在直目上入髮際同身寸之五分足太陽少陽陽維三脉之會留七呼目窻在臨泣後同身寸之一寸正營在目窻後同身寸之一寸承靈在正營後同身寸之一寸半腦空在承靈後同身寸之一寸半俠枕骨後枕骨上並足少陽陽維二脉之會刺可入同身寸之四分餘並刺可入同身寸之三分若灸者並可灸五壯○新校正云按腦空在枕骨上枕骨上甲乙經作玉枕骨下耳

前角上各一謂頷厭二穴也在曲角下顳顬之上上廉手足少陽足陽明三脈之會刺可入同身寸之七分留七呼若灸者可灸三壯刺深令人耳無所聞顳仁涉反顬汝車反

耳前角下各一謂懸釐二穴也在曲角上顳顬之下廉手足少陽陽明四脈之交會刺可入同身寸之三分留七呼若灸者可灸三壯○新校正云按後手少陽中云角上此云角下必有一誤

鋭髮下各一謂和髎二穴也在耳前鋭髮下橫動脈手足少陽二脈之會刺可入同身寸之三分若灸者可灸三壯○新校正云按甲乙經云手足少陽手太陽之會

客主人各一客主人穴名也在耳前上廉起骨開口有空手足少陽足陽明三脈之會刺可入同身寸之三分留七呼若灸者可灸三壯○新校正云按甲乙經及氣穴注刺禁注並云手少陽足陽明之會与此異

耳後陷中各一謂翳風二穴也在耳後陷者中按之引耳中手足少陽二脈之會刺可入同身寸之三分若灸者可灸三壯

下關各一下關穴名也所在刺灸氣穴同法耳下牙車之後各
一謂頰車二穴也刺灸分壯氣穴同法缺盆各一缺盆穴名也在肩上橫骨陷者
中足陽明脈氣所發刺可入同身寸之三分留七呼若灸者可灸三壯大深令人逆息○新校
正云按骨空注作手陽明掖下三寸脇下至胠八閒各一腋下
三寸同身寸也掖下謂淵掖輒筋天池脇下至
胠則日月章門帶脈五樞維道居髎九穴也左
右共十八穴也淵掖在掖下同身寸之三寸足
少陽脈氣所發舉臂得之刺可入同身寸之三
分禁不可灸輒筋在掖下同身寸之三寸復前
行同身寸之一寸搖脇○新校正云按甲乙經
搖作著下同足少陽脈氣所發刺可入同身寸
之六分若灸者可灸三壯天池在乳後同身寸
之二寸○新校正云按甲乙經作一寸掖下三
寸搖脇直掖撅肋間手心主足少陽二脈之會
刺可入同身寸之三分○新校正云按甲乙經
作七分若灸者可灸三壯日月膽募也在第三

肋端橫直心蔽骨傍各同身寸之二寸五分上直兩乳○新校正云按甲乙經云日月在期門下五分○足太陰少陽二脉之會刺可入同身寸之七分若灸者可灸五壯章門脾募也在季脇端足厥陰少陽二脉之會側臥屈上足伸下足舉臂取之刺可入同身寸之八分留六呼若灸者可灸三壯帶脉在季脇下同身寸之一寸八分足少陽帶脉二經之會刺可入同身寸之六分若灸者可灸五壯五樞在帶脉下同身寸之三寸足少陽帶脉二經之會刺可入同身寸之一寸若灸者可灸五壯維道在章門下同身寸之五寸三分足少陽帶脉二經之會刺灸分壯如章門法居髎在章門下同身寸之四寸三分髎骨上○新校正云按甲乙經作監骨上陷者中陽蹻足少陽二脉之會刺灸分壯如維道法所以謂之八間者自掖下三寸至季脇凡八肋骨

髀樞中傍各一

謂環銚二穴也刺灸分壯氣穴同法○新校正云按氣穴論云兩髀厭分中王注為環銚穴文甲乙經注環銚在髀樞中今云髀樞中傍各一者蓋謂此

穴在髀樞中也傍各一者謂左右各一穴也非謂環銚在髀樞中傍也膝以下至足小指次指各六俞謂陽陵泉陽輔立虛臨泣俠谿竅陰六穴也左右言之則十二俞也其所在刺灸分壯氣穴同法足陽明脉氣所發者六十八穴額顱髮際傍各三謂懸顱陽白頭維左右共六穴也正面髮際橫行數之懸顱在曲角上顳顬之中足陽明脉氣所發刺入同身寸之三分留三呼若灸者可灸三壯陽白在眉上同身寸之一寸直瞳子足陽明陰維二脉之會刺可入同身寸之三分灸三壯頭維在額角髮際俠本神兩傍各同身寸之一寸五分足少陽陽明二脉之交會刺可入同身寸之五分禁不可灸○新校正云按甲乙經陽白足少陽陽維之會今王氏注云足陽明陰維之會詳此在足陽明脉氣所發中則足陽明近是然陽明經不到此又不与陰維會疑王注非甲乙經爲得矣面鼽骨空各一謂四白穴也在目下同身寸之一寸

足陽明脈氣所發刺可入同身寸之四分不可灸○新校正云按甲乙經刺入三分灸七壯

大迎之骨空各一大迎穴名也在曲頷前同身寸之一寸三分骨陷者中動脈足陽明脈氣所發刺可入同身寸之三分留七呼若灸者可灸三壯人迎各一人迎穴名也在頸俠結喉傍大脈動應手足陽明脈氣所發刺可入同身寸之四分過深殺人禁不可灸

缺盆外骨空各一謂天髎二穴也在肩缺盆中上伏骨之際陷者中手足少陽陽維三脈之會刺可入同身寸之八分若灸者可灸三壯○新校正云按甲乙經伏骨作毖骨毖音秘

膺中骨間各一謂膺窻等六穴也膺窻在胷兩傍俠中行各相去同身寸之四寸巨骨下同身寸之四寸八分陷者中足陽明脈氣所發仰而取之刺可入同身寸之四分若灸者可灸五壯此穴之上又有氣戶庫房屋翳下又有乳中乳根氣戶在巨骨下下直膺窻上去膺窻上同身寸之四寸八分庫房在氣戶下同身寸之一寸六分屋翳在

氣戶下同身寸之三寸二分下即膺窻也膺窻
之下即乳中也乳中穴下同身寸之一寸六分
陷者中則乳根穴也並足陽明脉氣所發仰而
取之乳中禁不可灸刺灸刺之不幸生蝕瘡瘡
中有清汁膿血者可治瘡中有息肉若蝕瘡者
死餘五穴並刺可入同身寸之四分若灸者可
灸三壯○新校正云按甲乙經灸五壯俠鳩尾之外當乳下三寸
俠胃脘各五謂不容承滿梁門關門太一五穴也左右共一寸也俠腹中行兩傍
相去各同身寸之四寸○新校正云按甲乙經
云各二寸疑此注剩各字○不容在第四肋端
下至太一各上下相去同身寸之一寸並足陽
明脉氣所發刺可入同身寸之八分若灸者可
灸三壯○新校正云按甲乙經不容刺入五分此云並入八分疑此注誤俠齊廣三
寸各三廣謂去齊橫廣也廣三寸者各如太一之遠近也各三者謂滑肉門天樞外陵
也滑肉門下同身寸之一寸正當於齊外陵在
天樞下同身寸之一寸並足陽明脉氣所發天

樞刺可入同身寸之五分留七呼滑肉門外陵各刺可入同身寸之八分若灸者並可五壯○新校正云按甲乙經天樞在齊傍各二寸上曰滑肉門下曰外陵是三穴若去齊各二寸也今此經注云賁三寸素問甲乙經不同然甲乙經分寸与諸書同特此經爲異也

下齊二寸俠之各三

下齊一寸則外陵下同身寸之一寸大巨穴也各三者謂大巨水道歸來也大巨在外陵下同身寸之一寸足陽明脉氣所發刺可入同身寸之八分若灸者可灸五壯水道在大巨下同身寸之三寸足陽明脉氣所發刺可入同身寸之二寸半若灸者可灸五壯歸來在水道下同身寸之二寸刺可入同身寸之八分若灸者可灸五壯

氣街動脉各一

氣街穴名也在歸來下鼠鼷上同身寸之一寸脉動應手足陽明脉氣所發刺可入同身寸之三分留七呼若灸者可灸三壯○新校正云詳此注与甲乙經同刺熱注及熱穴注云氣街在腹臍下横骨兩端鼠鼷上刺禁論注在腹下俠齊兩傍相去四寸鼠僕上骨空

注云在毛際兩旁鼠鼷上諸注不同今備録之伏菟上各一謂髀關二穴也在膝上伏菟後交分中刺可入同身寸之六分若灸者可灸三壯三里以下至足中指各八俞分之所在穴空謂三里上廉下廉解谿衝陽陷谷內庭厲兌八穴也左右言之則十六俞也上廉足陽明與大腸合下廉足陽明與小腸合也其所在刺灸分壯與氣穴同法所謂分之所在穴空者足陽明脈自三里穴分而下行其直者循胻過跗入中指出其端則厲兌也其支者與直俱行至足跗上入中指次間故云分之所在穴空也之往也言分而各行往指間穴空處也手太陽脈氣所發者三十六穴目內眥各一謂睛明二穴也在目內眥手足太陽足陽明陰蹻陽蹻五脈之會刺可入同身寸之一分留六呼若灸者可灸三壯諸穴有云數脈會發而不灸所會刺脈下言之者出從其正者也目外各一謂瞳子髎二穴也在目外去眥同身寸之

五分手太陽手足少陽三脉之會刺可入同身寸之三分若灸者可灸三壯鼽骨下各一謂顴髎二穴也鼽頄也頄面顴也在面頄骨下陷者中手太陽少陽二脉之會刺可入同身寸之三分頄音仇耳郭上各一謂角孫二穴也在耳上郭表之中間上髮際之下開口有空手太陽手足少陽三脉之會刺可入同身寸之三分若灸者可灸三壯○新校正云按甲乙經手太陽作手陽明耳中各一謂聽宮二穴也所在刺灸分壯与氣穴同法巨骨穴各一巨骨穴名也在肩端上行兩又骨間陷者中手陽明蹻脉二經之會刺可入同身寸之一寸半若灸者可灸三壯○新校正云按甲乙經作五壯曲掖上骨穴各一謂臑俞二穴也在肩臑後大骨下胛上廉陷者中手太陽陽維蹻脉三經之會舉臂取之刺可入同身寸之八分若灸者可灸三壯○新校正云按甲乙經作手足太陽柱骨上陷者各一謂肩井二穴也在肩上陷解中缺盆上大骨前

手足少陽陽維二脉之會刺可入同身寸之五分若灸者可灸三壯上天窻四寸

各一謂天窻竅陰四穴也所在刺灸分壯与氣穴同法肩解各一謂秉風二穴也

在肩上小髃骨後舉臂有空手太陽陽明手足少陽四脉之會舉臂取之刺可入同身寸之五

分若灸者可灸三壯。新校正云按甲乙經灸五壯肩解下三寸各一謂天

宗二穴也在秉風後大骨下陷者中手太陽脉氣所發刺可入同身寸之五分留六呼若灸者

可灸三壯肘以下至手小指本各六俞六俞所起於指端經言至

小指本則以端爲本言上之本也下文陽明之陽同也六俞謂小海陽谷腕骨後谿前谷少澤

六穴也左右言之則十二俞也其所在刺灸分壯氣穴同法。新校正云按此手太陽陽明少

陽二經各言至手某指本王注以端爲本若非也詳手三陽之井穴盡出手某指之端爪甲下

際此言本若是遂指爪甲之本也又安得以端爲本哉手陽明脉氣所發

者二十二穴鼻空外廉項上各二（謂迎香扶突各二穴也迎香在鼻下孔傍手足陽明二脈之會刺可入同身寸之三分扶突在曲頰下一同身寸之一寸人迎後手陽明脈氣所發仰而取之刺可入同身寸之四分若灸者可灸三壯）大迎骨空各一（大迎穴名也在曲頷前同身寸之一寸三分骨陷者中動脈足陽明脈氣所發刺可入同身寸之三分留七呼若灸者可灸三壯○新校正云詳大迎穴已見前足陽明經中今又見於此王氏不注所以當如顴髎穴兩出之義）柱骨之會各一（謂天鼎二穴也在頸缺盆上直扶突氣舍後同身寸之半寸手陽明脈氣所發刺可入同身寸之四分若灸者可灸三壯○新校正云按甲乙經作一寸半）髃骨之會各一（謂肩髃二穴也所在刺灸分壯與氣穴同法○新校正云按髃骨氣穴注中無刺熱注水熱穴注骨空論注中有之）肘以下至手大指次指本各六俞（謂三里陽谿合

谷三間二間鬲陽六穴也左右言之則十二俞也所在刺灸分壯与氣穴同法○新校正云按氣穴論注有曲池而無三里曲池手陽明之合也此誤出三里而遺曲池也手少陽脉氣所發者三十二穴鼽骨下各一謂顴髎二穴也所在刺灸分壯与手太陽脉同法此穴中手少陽太陽脉氣俱會於中等無優劣故重說於此下有者同眉後各一謂絲竹空二穴也在眉後陷者中手少陽脉氣所發刺可入同身寸之三分留六呼不可灸灸之不幸使人目小及盲○新校正云按甲乙經手少陽作足少陽留六呼作三呼角上各一謂懸釐二穴也此爲足少陽脉中同以是二脉之會也○新校正云按足少陽脉中言角下此云角上疑此誤下完骨後各一謂天牖二穴也所在刺灸分壯与氣穴同項中足太陽之前各一謂風池二穴也在耳後陷者中按之引於耳中手足少陽脉之會刺可入同身寸之四分若灸者可灸三壯○

新校正云按甲乙經在顳顬後髮際足少陽陽維之會刺可入三分

俠扶突各一謂天窗二穴也在曲頰下扶突後動脈應手陷者中手太陽脈氣所發刺可入同身寸之六分若灸者可灸三壯

肩貞各一肩貞穴名也在肩曲胛下兩骨解間肩髃後陷者中手太陽脈氣所發刺可入同身寸之八分若灸者可灸三壯

肩貞下三寸分間各一謂肩髃臑會消濼各二穴也其穴各在肉分間也肩髃在肩端臑上斜舉臂取之手少陽脈氣所發刺可入同身寸之七分若灸者可灸三壯臑會在臂前廉去肩端同身寸之三寸手陽明少陽二絡氣之會刺可入同身寸之五分灸者可灸五壯消濼在肩下臂外開腋斜肘分下行間手少陽脈之會刺可入同身寸之五分若灸者可灸三壯

肘以下至手小指次指本各六俞謂天井支溝陽池中渚液門關衝六穴也左右言之則十二俞也所在刺灸分壯與氣穴同法

督脈氣所發者二十

八穴今少一穴○新校正云按會陽二穴為二十九穴乃剩一穴非少也少當作剩字

項中央二是謂風府瘖門二穴也悉在項中然二穴今亡風府在項上入髮際同身
寸之一寸大筋內宛宛中督脈陽維之會刺可
入同身寸之四分留三呼不可妄灸灸之不幸
令人瘖瘖門在項髮際宛宛中去風府同身寸
之一寸督脈陽維二經之會仰頭取之刺可入
同身寸之四分禁不可灸灸之令人瘖○新校
正云按王氏云風府瘖門悉在項中餘一穴今
亡者非謂此二十八穴中亡一穴也王氏蓋見
氣穴論大椎上兩傍各一穴亦在項之穴也今
亡故云餘一穴今亡也

髮際後中八謂神庭上星顖會前頂百會後頂強間腦
戶八穴也其正髮際之中也神庭在髮際直鼻
督脈足太陽陽明脈二經之會禁不可刺若刺
之令人巔疾目失睛若灸者可灸三壯上星在
顱上直鼻中央入髮際同身寸之一寸陷者中
容豆顖會在上星後同身寸之一寸陷者中前
頂在顖會後同身寸之一寸五分骨間陷者中

百會在前頂後同身寸之一寸五分頂中央旋毛中陷容指督脈足太陽之交會後頂在百會後同身寸之一寸五分強間在後頂後同身寸之一寸五分腦戶在強間後同身寸之一寸五分督脈足太陽之會不可灸此八者並督脈氣所發也上星百會強間腦戶各刺可入同身寸之三分上星留六呼腦戶留三呼餘並刺可入同身寸之四分壯灸者可灸五壯○新校正云按甲乙經腦戶不可灸骨空論注云不可妄灸

面中三謂素髎水溝齗交三穴也素髎在鼻柱上端督脈氣所發刺可入同身寸之三分水溝在鼻柱下人中直脣取之督脈手陽明之會刺可入同身寸之三分留六呼若灸者可灸三壯齗交在唇内齒上齗縫督脈任脈二經之會可逆刺之入同身寸之三分若灸者可灸三壯此三者正居面左右之中也

大椎

以下至尻尾及傍十五穴脊椎之間有大椎陶道身柱神道靈臺至陽筋縮中樞脊中懸樞命門陽關腰俞長強會陽十五俞也大椎在第一椎上陷者中三陽督

脉之會陶道在項大椎節下間督脉足太陽之
會俛而取之身柱在第二椎節下間俛而取之
神道在第五椎節下間俛而取之靈臺在第六
椎節下間俛而取之至陽在第七椎節下間俛
而取之筋縮在第九椎節下間俛而取之中樞
在第十椎節下間俛而取之脊中在第十一椎
節下間俛而取之禁不可灸令人僂懸樞在第
十三椎節下間伏而取之命門在第十四椎節
下間伏而取之陽関在第十六椎節下間坐而
取之腰俞在第二十一椎節下間長強在脊骶
端督脉別絡少陰二脉所結會陽穴在陰尾骨
兩傍凡此十五者並脊脉氣所發腰俞長強各
刺可入同身寸之二分○新校正云按甲乙經
作二寸水穴論注作二分腰俞穴繆刺論注作
二寸熱穴注作二寸刺熱注作二分諸注不同
錐甲乙經作二寸疑大深与其失之深不若失
之減宜作二分之説○留七呼懸樞刺可入同
身寸之三分會陽刺可入同身寸之八分餘並
刺可入同身寸之五分陶道神道各留五呼陶
道身柱神道筋縮可灸五壯大椎可九壯餘並

可三壯○新校正云按甲乙經無靈臺中樞陽關三陽至骶下凡二十一節脊椎法也通項骨三節即二十四節任脈之氣所發者二十八穴今少一穴喉中央二謂廉泉天突二穴也廉泉在頷下結喉上舌本下陰維任脈之會刺可入同身寸之三分留三呼若灸者可灸三壯天突在頸結喉下同身寸之四寸中央宛宛中陰維任脈之會低鍼取之刺可入同身寸之一寸留七呼若灸者可灸三壯膺中骨陷中各一謂璇璣華蓋紫宮玉堂膻中中庭六穴也璇璣在天突下同身寸之二寸華蓋在璇璣下同身寸之一寸紫宮玉堂膻中中庭各相去同身寸之一寸六分陷者中並任脈氣所發仰而取之各刺可入同身寸之三分若灸者可灸五壯鳩尾下三寸胃脘五寸胃脘以下至橫骨六寸半一新校正云詳一字疑誤腹脈法也鳩尾心前穴名也其正當心蔽骨之端言其

其骨垂下如鳩鳥尾形故以爲名也鳩尾下有
鳩尾巨闕上脘中脘建里下脘水分斉中陰交
脖胦丹田關元中極曲骨十四俞也鳩尾在臍
前蔽骨下同身寸之五分任脈之別不可灸刺
人無蔽骨者從岐骨際下行同身寸之一寸○
新校正云按甲乙經云一寸半爲鳩尾処也下
次巨闕上脘中脘建里下脘水分遞相去同身
寸之一寸上脘則足陽明手太陽之會中脘則
手太陽少陽足陽明三脈所生也斉中禁不可
刺若刺之使人斉中悪瘍潰矢出者死不治陰
交在斉下同身寸之一寸任脈陰衝之會脖胦
在斉下同身寸之一寸半丹田三焦募也在斉
下同身寸之二寸關元小腸募也在斉下同身
寸之三寸足三陰任脈之會也中極在關元下
一寸足三陰之會也曲骨在橫骨上中極下同
身寸之一寸足厥陰之會凡此十四者並任脈
氣所發建里丹田並刺可入同身寸之六分留
七呼○新校正云按甲乙經作五分十呼○上
脘陰交並刺可入同身寸之八分下脘水分並
刺可入同身寸之一寸中脘脖胦並刺可入同

身寸之一寸二分，曲骨刺可入同身寸之一寸半，留七呼；餘並刺可入同身寸之一寸二分。若灸者，關元、中脘各可灸七壯，臍中、中極、曲骨各三壯，餘並可五壯。自鳩尾下至陰間，並任脈主之腹脈法也。○新校正云：據此注云餘並刺入一寸二分，關元在中，與《甲乙經》及《氣穴》《骨空》注刺入二寸不同，當從《甲乙經》之寸數。**下陰別一**，謂會陰一穴也。自曲骨下至陰，陰之下兩陰之間，則此穴也。是任脈別絡，俠督脈者之衝脈之會，故曰下陰別一也。刺可入同身寸之二寸，留七呼。若灸者，可灸三壯。○新校正云：按《甲乙經》七呼作三呼。**目下各一**，謂承泣二穴也。在目下同身寸之七分，上直瞳子，陽蹻、任脈、足陽明三經之會。刺可入同身寸之三分，不可灸。**下脣一**，謂承漿穴也。在頤前下脣之下，陽明脈、任脈之會，開口取之。刺可入同身寸之二分，留五呼。若灸者，可灸三壯。○新校正云：按《甲乙經》作六呼。**齗交一**，齗交穴名也。所在刺灸分壯與脈法同。**衝脈氣所發者二十二穴**

俠鳩尾外各半寸至齊寸一謂幽門通谷陰都石關商曲肓俞六穴左右則十二穴也幽門俠巨闕兩傍相去各同身寸之半寸陷者中下五穴各相去同身寸之一寸並衝脈足少陰二經之會各刺可入同身寸之一寸若灸者可灸五壯○新校正云按此云各刺入一寸按甲乙經云幽門通谷刺入五分俠齊下傍各五分至横骨寸一腹脉法也謂中注髓府胞門陰關下極五穴左右則十穴也中注在青俞下同身寸之五分上直幽門下四穴各相去同身寸之一寸並衝脈足少陰二經之會各刺可入同身寸之一寸若灸者可灸五壯足少陰舌下厥陰毛中急脉各一足少陰舌下二穴在人迎前陷中動脉前是日月本左右二也足少陰脉氣所發刺可入同身寸之四分急脉在陰髦中陰上兩傍相去同身寸之二寸半按之隱指堅然甚按則痛引上下也其左者中寒則上引少腹下引陰故善為痛為小腹急中寒此兩脉皆

厥陰之大絡通行其中故曰厥陰急脈即睪之系也可灸而不可刺病疝少腹痛即可灸○新

校正云詳舌下毛中之穴甲乙經無手少陰各一謂手少陰郄穴也在腕後同身

寸之半寸手少陰郄也刺可入同身寸之三分若灸者可灸三壯左右二也陰陽蹻

各一陰蹻一謂交信穴也交信在足內踝上同身寸之二寸少陰前太陰後筋骨間陰蹻

之郄刺可入同身寸之四分留五呼若灸者可灸三壯陽蹻一謂附陽穴也附陽在足外踝上

同身寸之三寸太陽前少陽後筋骨間謹取之陽蹻之郄刺可入同身寸之六分留七呼若灸

者可灸三壯左右四也手足諸魚際脈氣所發者凡三百

六十五穴也經之所存者多凡一十九穴此所謂諸氣府也然散穴俞諸經脈部分

皆有之故經或不言而甲乙經經脈流注多少不同者以此

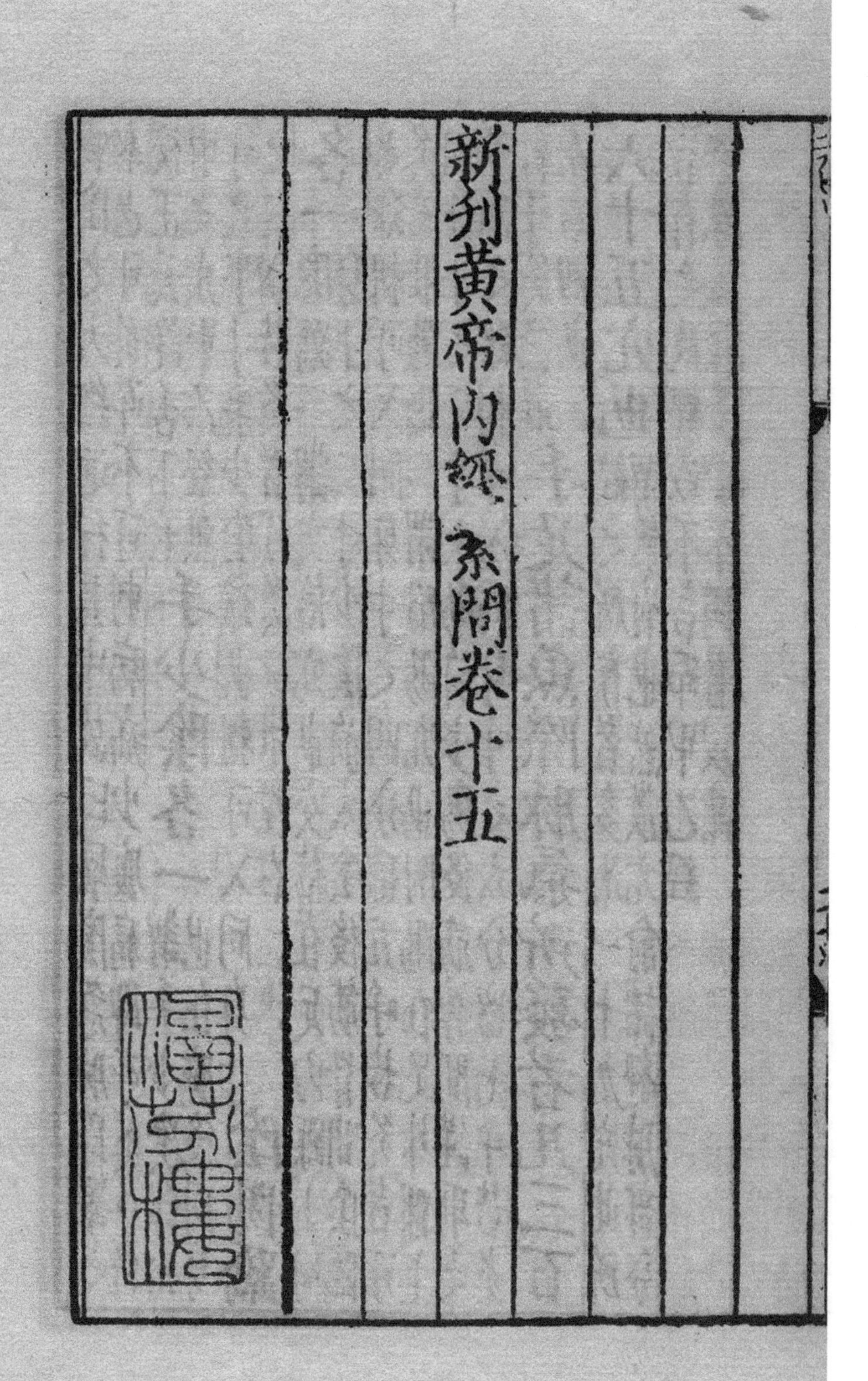
新刊黄帝内經素問卷十五

新刊黃帝內經素問卷十六

啓玄子次註林億孫奇高保衡等奉敕校正孫兆重改誤

骨空論　水熱穴論

○骨空論篇第六十

新校正云按全元起本在第二卷自灸寒熱之法已下在第六卷刺齊篇末

黃帝問曰余聞風者百病之始也以鍼治之奈何也始初岐伯對曰風從外入令人振寒汗出頭痛身重惡寒風中身形則腠理閉密陽氣內拒寒復外勝勝拒相薄榮衛失所故如是治在風府風府穴也在項上入髮際同身寸之一寸宛宛中督脈足太陽之會刺可入同身寸之四分若灸者可灸五壯○新校正云按風府注氣穴論氣府論中各已注与

甲乙經同此注云督脉足太陽之會可灸五壯者乃是風門熱府穴也當云督脉陽維之會留三呼不可灸乃是調其陰陽不足則補有餘則寫用鍼之道必法天常盛寫虛補此其常也大風頸項痛刺風府風府在上椎上椎謂大椎上入髮際同身寸之一寸大風汗出灸譩譆譩譆在背下俠脊傍三寸所厭之令病者呼譩譆譩譆應手譩譆穴也在肩膊內廉俠第六椎下兩傍各同身寸之三寸以手厭之令病人呼譩譆之声則指不動矣足太陽脉氣所發刺可入同身寸之六分留七呼若灸者可灸五壯譩譆者因取為名尓膊音博從風憎風刺眉頭謂攢竹穴也在眉頭陷者中脉動應手足太陽脉氣所發刺可入同身寸之三分若灸者可灸三壯失枕在肩上橫骨間謂缺盆外拒在肩上横骨陷者中手陽明脉氣所發刺可入同身寸之二

分留七呼若灸者可灸三壯刺入深令人逆息○新校正云按氣府注作足陽明此云手陽明詳二經俱發於此故王注兩言之**折使揄臂齊肘正灸脊中**揄讀為搖搖謂搖動也然失枕非獨取肩上橫骨間亦當正形灸脊中也欲而驗之則使搖動其臂屈折其肘自項之下橫齊肘端當其中間則其處也是曰陽關在第十六椎節下間督脈氣所發刺可入同身寸之五分若灸者可灸三壯○新校正云詳陽關穴甲乙經無**眇絡季脅引少腹而痛脹刺譩譆**眇謂俠脊兩傍空軟處也少腹齊下也**腰痛不可以轉搖急引陰卵刺八髎與痛上八髎在腰尻分間**八或為九驗真骨及中誥孔穴經正有八髎无九髎也分謂腰尻筋肉分間陷下處**鼠瘻寒熱還刺寒府寒府在附膝外解營**膝外骨間也屈伸之處寒氣喜中故名寒府也解謂骨解營謂深刺而必中其營也

取膝上外者使之拜，取足心者使之跪。拜而取者使膝外空開也，跪而取之者令足心宛宛然深定也。任脈者，起於中極之下，以上毛際，循腹裏上關元，至咽喉，上頤循面入目。新校正云：按《難經》、《甲乙經》無上頤循面入目六字。衝脈者，起於氣街，並少陰之經，新校正云：按《難經》、《甲乙經》作陽明。俠齊上行，至胷中而散。

任脈衝脈皆奇經也。任脈當齊中而上行，衝脈俠齊兩傍而上行。然中極者，謂
齊下同身寸之四寸也。言中極之下者，言中極
從少腹之內上行而外出於毛際而上，非謂本
起於此也。關元者，謂齊下同身寸之三寸也。氣
街者，穴名也，在毛際兩傍鼠鼷上同身寸之一
寸也。言衝脈起於氣街者，亦從少腹之內與任
脈並行而至於是，乃循腹也。何以言之？《鍼經》曰：
衝脈者，十二經之海，與少陰之絡起於腎下，出
於氣街。又曰：衝脈、任脈者，皆起於胞中，上循脊

裏爲經絡之海，其浮而外者，循腹各行，會於咽喉，別而絡脣口。血氣盛則充膚熱，血獨盛則滲灌皮膚，生毫毛。由此言之，則任脉、衝脉從少腹之內上行，至中極之下、氣街之內明矣。新校正云：按氣街與《氣府論》《刺熱篇》《水熱穴篇》《刺禁論》等注重，文雖不同，處所尤別，備注《氣府論》中。

任脉爲病，男子內結七疝，女子帶下瘕聚。衝脉爲病，逆氣裏急。督脉爲病，脊強反折。督脉亦奇經也。然任脉、衝脉、督脉者，一源而三岐也，故經或謂衝脉爲督脉也。何以明之？今《甲乙》及古《經脉流注圖經》以任脉循背者謂之督脉，自少腹直上者謂之任脉，亦謂之督脉，是則以背腹陰陽別爲名目爾。以任脉自胞上過帶脉，貫齊而上，故男子爲病內結七疝，女子爲病則帶下瘕聚也。以衝脉俠齊而上，並少陰之經，上至胷中，故衝脉爲病則逆氣裏急也。以督脉上循脊裏，故督脉爲病則脊強反折也。

督脉者，起於少腹以下骨中央，女子

入繫廷孔，起非初起，亦猶任脈衝脈起於胞中也，其實乃起於腎下，至於少腹則下行於腰橫骨圍之中央也。繫廷孔者，謂窈漏，近所謂前陰穴也，以其陰廷繫屬於中，故名之。其孔溺孔之端也。孔則窈漏也，窈漏之中，其上有溺孔焉，端謂陰廷在此溺孔之上端也。而督脈自骨圍中央則至於是。其絡循陰器合篡間，繞篡後，督脈別絡自溺孔之端分而各行，下循陰器，乃合篡間也。所謂間者，謂前陰後陰之兩間也。自兩間之後已，復分而行繞篡之後。別繞臀，至少陰與巨陽中絡者合少陰上股內後廉，貫脊屬腎，別謂別絡分而各行之於焦泣足少陰之絡者，自股內後廉貫脊屬腎；足太陽絡之外行者，循髀樞絡股陽而下；其中行者，下貫臀至膕中，與外行絡合。故言至少陰與巨陽中絡合少陰上股內後廉貫脊屬腎也。○新校正云：詳合行於焦，疑焦字誤。與太陽起於目內眥，上額交巔上入絡腦，還出別下項，循肩髆內，俠脊抵腰中，入循膂絡腎。接繞臀而上行也。其男子循莖下至篡，與女子等。其少腹直上者，貫齊中央，上貫心入喉，上頤環脣，上繫兩目之下中央。自與太陽起於目內眥，下至女子等，並督脈之別絡也。其直行者，自尻上循脊裏而至於鼻人也。自其少腹直上至兩目之下中央，並任脈之行，而云是督脈所繫，由此言之，則任脈、衝脈、督脈名異而同一体也。此生病，從少腹上衝心而痛，不得前後，為衝疝。尋此生病正是任脈，經云為衝疝者，正明督脈以別主而異目也。何者？若一脈一氣而无陰陽之異主，則此生病者當心背俱衝，豈獨衝心而為疝乎。其女子不孕，癃痔遺溺嗌乾。亦以衝脈、任脈並自少腹上至於咽喉，又以督脈循陰器合篡間繞纂後別繞臀故不孕癃痔遺溺嗌乾也所以謂之任脉者女子得之以任養也故經云此病其女子不孕也所以謂之衝脉者以其氣上衝也故經云此生病從少腹上衝心而痛也所以謂之督脉者以其督領經脉之海也由此三用故一源三歧經或通呼似相謬引故下文曰

督脉生病治督脉治在骨上甚者在齊下營此亦正任脉之分也衝任督三脉異名同体亦明矣骨上謂腰橫骨上毛際中曲骨穴也任脉足厥陰之會刺可入同身寸之一寸半若灸者可灸三壯齊下謂齊直下同身寸之一寸陰交穴任脉陰衝之會刺可入同身寸之八分若灸者可灸五壯

其上氣有音者治其喉中央在缺盆中者中謂缺盆兩間之中天突穴在頸結喉下同身寸之四寸中央宛宛中陰維任脉之會低鍼取之刺可入同身寸之一寸留七呼若灸者可灸三壯

其病上衝喉者治其漸漸者上俠頤也陽明之脉

腧上循而環頤故以俠頤名爲腧也是謂大迎大迎在曲頷前骨同身寸之一寸三分陷中動脉足陽明脉氣所發刺可入同身寸之三分留七呼若灸者可灸三壯

蹇膝伸不屈治其楗蹇謂膝痛屈伸蹇難也楗謂髀輔骨上橫骨下股外之中側立搖動取之筋動應手楗音健

坐而膝痛治其機髖骨兩傍相接處

立而暑解治其骸關暑熱也若膝痛立而膝骨解中熱者治其骸關骸關謂膝解也一經云起而引解言膝痛起立痛引膝骨解之中也暑引二字其義則異其起立二字其意頗同

膝痛痛及拇指治其膕膕謂膝解之後曲脚之中委中穴背面取之脉動應手足太陽脉之所入刺可入同身寸之五分留七呼若灸者可灸三壯

坐而膝痛如物隱者治其關關在膕上當楗之後背立按之以動搖筋應手

膝痛不可屈伸治其背內謂大杼穴也所在灸刺分壯與氣穴同法

連胻

若折治陽明中俞髎若膝痛不可屈伸連脛痛如折者則瀉陽明脈中俞
髎也是則正取三里穴也若別治巨陽少陰滎若痛而膝如別離者則治
足大陽少陰之滎也足太陽滎通谷也在足小指外側本節前陷者中刺可入同身寸之二分
留五呼若灸者可灸三壯足少陰滎然谷也在足內踝前起大骨下陷者中刺可入同身寸之
三分留三呼若灸者可灸三壯淫濼脛痠不能久立治少陽之
維新校正云按甲乙經外踝上五寸乃足少陽之絡此云維者字之誤也在外上
五寸淫濼謂似痠痛而無力也五寸一云四寸中諸圖經外踝上四寸無穴五寸是光明
穴也足少陽之絡刺可入同身寸之七分留十呼若灸者可灸五壯○新校正云按甲乙經云
刺入六分留七呼輔骨上橫骨下為楗俠髖為機膝解
為骸關俠膝之骨為連骸骸下為輔輔上為膕

膕上爲關頭橫骨爲枕由是則謂膝輔骨上腰髖骨下爲楗楗上爲機膝外爲骸關楗後爲關關下爲膕膕下爲輔骨輔骨上爲連骸連骸者是骸骨相連接處也頭上之橫骨爲枕骨水俞五十七穴者尻上五行行五伏菟上兩行行五左右各一行行五踝上各一行行六穴所在刺灸分兆具水熱穴論中此皆是骨空氣穴篇內與此重言爾髓空在腦後五分在顱際銳骨之下是謂風府通腦中也一在齗基下齗頰下骨陷中有穴容豆中諸圖經名下頤齗音銀一在項後中復骨下謂瘖門穴也在項髮際宛宛中入系舌本督脈陽維之會仰頭取之刺可入同身寸之四分禁不可灸一在脊骨上空在風府上上謂腦戶穴也在枕骨上大羽後同身寸之一寸五分宛宛中督脈足太陽之會此別腦之戶不可妄灸

灸之不幸令人瘖刺可入同身寸之三分留三呼○新校正云按甲乙經大羽者強間之別名氣府注云若灸者可灸五壯脊骨下空在尻骨下空不應主療經闕其穴名○新校正云按甲乙經長強在脊骶端正在尻骨下王氏云不應主療經闕其名得非誤乎數髓空在面俠鼻謂顴髎等穴經不一一指陳其處小小者爾或骨空在口下當兩肩謂大迎穴也所在刺灸分壯與前俠頤同法兩髆骨空在髆中之陽近肩髃穴經無名臂骨空在臂陽去踝四寸兩骨空之間在支溝上同身寸之一寸是謂通間○新校正云按甲乙經支溝上一寸名三陽絡通間豈其別名歟股骨上空在股陽出上膝四寸在陰市上伏兔穴下在承楗也骭骨空在輔骨之上端謂犢鼻穴也在膝臏下骭骨上俠解大筋中足陽明脈氣所發刺可入同身寸六分灸者

可灸三壯股際骨空在毛中動下經脈其名尻骨空在髀骨之後相去四寸是謂尻骨上八髎穴也扁骨有滲理湊無髓孔易髓無空扁骨謂尻間扁戾骨也其骨上有滲灌文理歸湊之無別髓孔也易亦也骨有空則髓有孔骨若無孔髓亦無孔也灸寒熱之法先灸項大椎以年為壯數如患人之年數次灸撅骨以年為壯數尾窮謂之撅骨視背俞陷者灸之背胛骨際有陷處也舉臂肩上陷者灸之肩髃穴也在肩端兩骨間手陽明蹻脈之會刺可入同身寸之六分留六呼若灸者可灸三壯也兩季脇之間灸之京門穴腎募也在髂骨與腰中季脇本俠脊刺可入同身寸之三分留七呼若灸者可灸三壯外踝上絕骨之端灸之陽輔穴也在足外踝上輔骨前絕骨之端如前同身寸之三分所去

丘虛七寸足少陽脉之所行也刺可入同身寸之五分留七呼若灸者可灸三壯○新校正云按甲乙經云在外踝上四寸

足小指次指間灸之夾谿穴也在足小指次指岐骨間本節前陷者中足少陽脉之所流也刺可入同身寸之三分留三呼若灸者可灸三壯○新校正云按甲乙經流當依留字

腨下陷脉灸之承筋穴也在腨中央陷者中足太陽脉氣所發也禁不可刺可灸三壯○新校正云按刺腰痛篇注云腨中央如外陷者中

外踝後灸之崑崙穴也在足外踝後跟骨上陷者中細脉動應手足大陽脉之所行也刺可入同身寸之五分留十呼若灸者可灸三壯

缺盆骨上切之堅動如筋者灸之經闕其名當隨其所有而灸之

膺中陷骨間灸之天突穴也所在灸刺分壯與前缺盆中者同法

掌束骨下灸之陽池穴也在手表腕上陷者中手少陽脉之所過也刺可入同身寸之二分留六呼若灸者可

灸三壯齊下關元三寸灸之正在齊下同身寸之三寸足三陰任脉之會刺可入同身寸之二寸留七呼若灸者灸七壯○新校正云按氣府注云刺可入一寸二分者非毛際動脉灸之以脉動應手為腧即氣街穴也膝下三寸分間灸之三里穴也在膝下同身寸之三寸胻骨外廉兩筋肉分間足陽明脉之所入也刺可入同身寸之一寸留七呼若灸者可灸三壯足陽明跗上動脉灸之衝陽穴也在足跗上同身寸之五寸骨間動脉足陽明脉之所過也刺可入同身寸之三分留十呼若灸者可灸三壯○新校正云按甲乙經及全元起本足陽明下有灸之二字并跗上動脉是二穴今王氏去灸之二字則是一穴今缺注中却存灸之二字以闕疑耳巔上一灸之百會穴也在頂中央旋毛中陷容指督脉足太陽脉之交會刺可入同身寸之二分若灸者灸五壯犬所齧之處灸之三壯即以犬傷病法

灸之犬傷而發寒熱者即以犬傷法三壯灸之齧古結反凡當灸二十九處傷食灸之傷食為病亦發寒熱故灸○新校正云詳足陽明不別灸則有二十八處王氏去上文灸之二字者非不已者必視其經之過於陽者數刺其俞而藥之

○水熱穴論篇六十一新校正云按全元起本在第八卷

黃帝問曰少陰何以主腎腎何以主水岐伯對曰腎者至陰也至陰者盛水也肺者太陰也少陰者冬脉也故其本在腎其末在肺皆積水也陰者謂寒也冬月至寒腎氣合應故云腎者至陰也水王於冬故云至陰者盛水也腎少陰脉從腎上貫肝鬲入肺中故云其本在腎其末在肺也腎氣上逆則水氣客於肺中故云皆積水

也帝曰腎何以能聚水而生病岐伯曰腎者胃之關也關門不利故聚水而從其類也關者所以司出入也腎主下焦膀胱為府主其分注關竅二陰故腎氣化則二陰通二陰閟則胃填滿故云腎者胃之關也關閉則水積水積則氣停氣停則水生水生積則氣溢氣水同類故云關閉不利聚水而從其類也靈樞經曰下焦溢為水此之謂也閟音祕上下溢於皮膚故為胕腫胕腫者聚水而生病也上謂肺下謂腎肺腎俱溢故聚水於腹中而生病也帝曰諸水皆生於腎乎岐伯曰腎者牝藏也牝陰也亦主陰位故云牝藏地氣上者屬於腎而生水液也故曰至陰勇而勞甚則腎汗出腎汗出逢於風內不得入於藏府外不得越於皮膚

客於玄府行於皮裏傳於胕腫本之於腎名曰風水勇而勞甚謂力房也勞勇汗出則玄府開汗出逢風則玄府復閉已則餘汗未出内伏皮膚專化爲水從風而水故名風水所謂玄府者汗空也汗液色玄從空而出以汗聚於裏故謂之玄府府聚也帝曰水俞五十七處者是何主也岐伯曰腎俞五十七穴積陰之所聚也水所從出入也尻上五行行五者此腎俞脊部之俞凡有五行當其中者督脉氣所發次兩傍四行皆足太陽脉氣也故水病下爲胕腫大腹上爲喘呼水下居於腎則腹至足而胕腫上入於肺則喘息賁急而大呼也不得臥者標本俱病標本者肺爲標腎爲本也此者是肺腎俱水爲之病也故肺爲喘呼腎爲水腫肺爲逆不

得卧（肺爲喘呼氣逆不得卧者以其主呼吸故也腎爲水腫者以其主水故也）分爲相輸俱受者水氣之所留也（分其居處以名之則是氣相輸應本其俱受病氣則皆是水所留也留力救反）伏菟上各二行行五者此腎之街也（街謂道也腹部正俞凡有五行俠臍兩傍則腎藏足少陰脈及衝脈氣所發次兩傍則胃府足陽明脈氣所發此四行穴則伏菟之上也菟音兔）三陰之所交結於脚也踝上各一行行六者此腎脈之下行也名曰大衝（腎脈與衝脈並下行循足合而盛大故曰大衝）凡五十七穴者皆藏之陰絡水之所客也（經所謂五十七者然穴上五行行五則背脊當中行督脈氣所發者脊中懸樞命門腰俞長強當其處也次俠督脈兩傍足太陽脈氣所發者有大腸俞小腸俞膀胱俞中膂內俞白環俞當其處也又次外俠兩傍足

太陽脈氣所發者有胃倉肓門志室胞肓秩邊
當其處也伏菟上各二行行五者腹部正俞俠
中行任脈兩傍衝脈足少陰之會者有中注四
滿氣穴大赫横骨當其處也次俠衝脈足少陰
兩傍足陽明脈氣所發者有外陵大巨水道歸
來氣街當其處也踝上各一行行六者足內踝
之上有足少陰陰蹻脈並循臑上行足少陰脈
有大鍾後溜陰谷三穴陰蹻脈有照海交信築
實三穴陰蹻既足少陰脈之別亦可通而下之
兼此數之循少一穴脊中在第十一椎節下間
說而脈之刺可入同身寸之五分不可灸令人
僂懸樞在第十三椎節下間伏而取之刺可入
同身寸之三分若灸者可灸三壯命門在第十
四椎節下間伏而取之刺可入同身寸之五分
若灸者可灸三壯腰俞在第二十一椎節下間
刺可入同身寸之二分○新校正云按甲乙經
及繆刺論注並熱穴注俱云刺入二寸而刺熱
沘氣府注並此注作一分自從二分之說○留
七呼若灸者可灸三壯長強在脊骶端督脈別
絡少陰所結刺可入同身寸之二分留七呼若

灸者可灸三壯此五穴者並督脈氣所發也○新校正云詳王氏云少一穴按氣府論曰十二椎節下有陽關一穴若通數陽關則不少矣○次俠督脈兩傍大腸俞在第十六椎下俠督脈兩傍去督脈各同身寸之一寸半刺可入同身寸之三分留六呼若灸者可灸三壯小腸俞在第十八椎下兩傍相去及刺灸分壯法如大腸俞膀胱俞在第十九椎下兩傍相去及刺灸分壯法如大腸俞中膂內俞在第二十椎下兩傍相去及刺灸分壯法如大腸俞俠脊胂胛起肉留十呼白環俞在第二十一椎下兩傍相去如大腸俞伏而取之刺可入同身寸之五分若灸者可灸三壯○新校正云按甲乙經云刺可入八分不可灸此五穴者並足太陽脈氣所發所謂腎俞者刺此也○又次外兩傍胃倉在第十二椎下兩傍相去各同身寸之三寸刺可入同身寸之五分若灸者可灸三壯肓門在第十三椎下兩傍相去及刺灸分壯法如胃倉志室在第十四椎下兩傍相去及刺灸分壯法如胃倉正坐取之胞肓在第十九椎下兩傍相去及刺

灸分壯法如胃倉伏而取之挾脊在第二十一
椎下兩傍相去及刺灸分壯法如胃倉伏而取
之此五穴者並足太陽脉氣所發也次伏菟上
兩行中注在齊下同身寸之五分兩傍相去任
脉各同身寸之五分○新校正云按甲乙經同
氣穴注云俠中行方一寸文異而義同○四滿
在中注下同身寸之一寸氣穴在四滿下同身
寸之一寸大赫在氣穴下同身寸之一寸横骨
在大赫下同身寸之一寸各横相去同身寸之
一寸並衝脉足少陰之會刺可入同身寸之一
寸若灸者可灸五壯次外兩傍穴外陵在齊下
同身寸之一寸○新校正云按氣府論注云外
陵在天樞下一寸与此正同○兩傍去衝脉各
同身寸之一寸半大巨在外陵下同身寸之一
寸水道在大巨下同身寸之三寸歸來在水道
下洞身寸之三寸氣街在歸來下○新校正云
按氣府注刺熱注熱穴注云在腹齊下横骨兩
端鼠鼷上一寸刺禁注云在腹下俠齊兩傍相
去四寸鼠僕上一寸動脉應手骨空注云在毛
除兩傍鼠鼷上諸注不同令備録之○鼠鼷上

同身寸之一寸各橫相去同身寸之二寸此五穴本並足陽明脈氣所發水道刺可入同身寸之二寸半若灸者可灸五壯氣衝刺可入同身寸之三分留七呼若灸者可灸三壯餘三穴並刺可入同身寸之八分若灸者並可五壯所謂腎之衝者則此包踝上各一行行六者大鍾在足內踝後衝中○新校正云按甲乙經云跟後衝中刺瘻注刺腰痛注亦踝後衝中動脈此云內踝後此注非○足少陰絡別走大陽者刺可入同身寸之二分留三呼若灸者可灸三壯復溜在內踝上同身寸之二寸陷者中足少陰脈之所行也刺可入同身寸之三分留三呼若灸者可灸五壯照海在內踝下刺可入同身寸之四分留六呼若灸者可灸三壯交信在內踝上同身寸之一寸少陰前大陰後筋骨間陰蹻之郄刺可入同身寸之四分留五呼若灸者可灸三壯築賓在內踝上腨分中陰維之郄刺可入同身寸之三分若灸者可灸五壯陰谷在膝下內輔骨之後大筋之下小筋之上按之應手屈膝而得之足少陰脈之所入也刺可入同身寸

之四分若灸者可灸三壯所謂腎經之下行者也曰大衝者則此也帝曰春取絡脈分肉何也岐伯曰春者木始治肝氣始生肝氣急其風疾經脈常深其氣少不能深入故取絡脈分肉間帝曰夏取盛經分腠何也岐伯曰夏者火始治心氣始長脈瘦氣弱陽氣留溢新校正云按別本溜一作流熱熏分腠内至於經故取盛經分腠絕膚而病去者邪居淺也絕謂絕破令病得出也所謂盛經者陽脈也帝曰秋取經俞何也岐伯曰秋者金始治肺將收殺三陰已成故漸將收殺金將勝火陽氣在合金王火衰故云金將勝火陰氣初勝濕氣及體以漸於下

濕露霧露故一云濕氣及體陰氣未盛未能深入故取俞以寫陰邪取合以虛陽邪陽氣始衰故取於合新校正云按皇甫士安云是謂治秋之治變帝曰冬取井滎何也岐伯曰冬者水始治腎方閉陽氣衰少陰氣堅盛巨陽伏沈陽脈乃去去謂下去故取井以下陰逆取滎以實陽氣新校正云按全元起本實作遺甲乙經千金方作通故曰冬取井滎春不鼽衄新校正云按皇甫士安云是謂末冬之治變此之謂也新校正云按此與四時刺逆從論及診要經終論義頗不同與九卷之義相通帝曰夫子言治熱病五十九俞余論其意未能領別其處願聞其處因聞其意岐伯曰頭上五行行五

者以越諸陽之熱逆也頭上五行行者當中行謂上星顖會前頂百會後頂次兩傍謂五處承光通天絡却玉枕又次兩傍謂臨泣目窗正營承靈腦空也上星在顱上直鼻中央入髮際同身寸之一寸陷者中容豆刺可入同身寸之三分顖會在上星後同身寸之一寸陷者中刺可入同身寸之四分前頂在顖會後同身寸之一寸五分骨間陷者中刺如顖會法百會在前頂後同身寸之一寸五分頂中央旋毛中陷容指督脈足太陽脈之交會刺如上星法後頂在百會後同身寸之一寸五分枕骨上刺如顖會法然是五者皆督脈氣所發也上星留六呼若灸者並可灸五壯次兩傍穴五處在上星兩傍同身寸之一寸五分承光在五處後同身寸之一寸通天在承光後同身寸之一寸五分絡却在通天後同身寸之一寸五分玉枕在絡却後同身寸之七分然是五者並足太陽脈氣所發刺可入同身寸之三分五處通天各留七呼絡却留五呼玉枕留三呼若灸者可灸三壯○新校正云按甲乙經承光不灸

玉枕刺入二分又刺兩傍臨泣行頭直目上入髮際同身寸之五分足太陽少陽陽維三脈之會目窻正營遞相去同身寸之一寸承靈腦空遞相去同身寸之一寸五分然是五者並足少陽陽維二脈之會腦空一穴刺可入同身寸之四分餘並可刺入同身寸之三分臨泣留七呼若灸者可灸五壯

大杼膺俞缺盆背俞此八者以寫胷中之熱也

大杼在項第一椎下兩傍相去各同身寸之一寸半陷者中督脈別絡手足太陽三脈氣之會刺可入同身寸之三分留七呼若灸者可灸五壯○新校正云按甲乙經并氣穴注作七壯五瘧注刺熱注作五壯○膺俞者膺中之俞也正名中府在胷中行兩傍相去同身寸之六寸雲門下一寸乳上三肋間動脈應手陷者中仰而取之手足太陰脈之會刺可入同身寸之三分留五呼若灸者可灸五壯缺盆在肩上橫骨陷者中手陽明脈氣所發刺可入同身寸之二分留七呼若灸者可灸三壯背俞即風門熱府俞也在第二椎下兩傍各同

身寸之一寸五分督脈足太陽之會刺可入同
身寸之五分留七呼若灸者可灸五壯今中誥
孔穴圖經雖不名之既曰風門熱府治熱之
背俞也○新校正云按王氏注刺熱論云背俞
未詳何處○注此指名風門熱府注氣穴論以
大杼為背俞三注不同者蓋亦疑之者也

氣

街三里巨虛上下廉此八者以寫胃中之熱也

氣街在腹臍下橫骨兩端鼠鼷上同身寸之一
寸動脈應手足陽明脈氣所發刺可入同身寸
之三分留七呼若灸者可灸三壯○新校正云
按氣街諸注不同具前水穴注中三里在膝下
同身寸之三寸䯒外廉兩筋肉分閒足陽明脈
之所入也刺可入同身寸之一寸留七呼若灸
者可灸三壯巨虛上廉足陽明與大腸合在三
里下同身寸之三寸足陽明脈氣所發刺可入
同身寸八分若灸者可灸三壯巨虛下廉足陽
明与少陽合在上廉下同身寸之三寸足陽明
脈氣所發刺可入同身寸之
三分若灸者可灸三壯也

雲門髃骨委中髓

空此八者以寫四支之熱也

雲門在巨骨下胷中行兩傍相去同身寸之六寸動脈應手足人陰脈氣所發也○新校正云按甲乙經同氣穴注作手太陰刺熱注亦作手太陰○舉臂取之刺可入同身寸之七分若灸者可灸五壯驗今中誥孔穴圖經无髃骨穴有肩髃穴在肩端兩骨間手陽明蹻脈之會刺可入同身寸之八分留六呼若灸者可灸三壯委中在足膝後屈處膕中央約文中動脈足太陽脈之所入也刺可入同身寸之五分留七呼若灸者可灸三壯按今中誥孔穴圖經云腰俞穴一名髓空在脊中第二十一椎節下主汗不出足清不仁督脈氣所發也刺可入同身寸之二寸留七呼若灸者可灸三壯○新校正云詳腰俞刺入二寸當作二分已具前水穴注中

五藏俞傍五此十者以寫五藏之熱也

俞傍五者謂魄戶神堂魂門意舍志室五穴俠脊兩傍各相去同身寸之三寸並足太陽脈氣所發也魄戶在第三椎下兩傍正坐取之刺可入同身寸

之五分若灸者可灸五壯神堂在第五椎下兩旁刺可入同身寸之三分若灸者可灸五壯魂門在第九椎下兩旁正坐取之刺可入同身寸之五分若灸者可灸三壯意舍在第十一椎下兩旁正坐取之刺可入同身寸之五分若灸者可灸三壯志室第十四椎下兩旁正坐取之刺可入同身寸之五分若灸者可灸三壯凡此五十九穴者皆熱之左右也帝曰人傷於寒而傳爲熱何也岐伯曰夫寒盛則生熱也寒氣外凝陽氣內鬱腠理堅緻玄府閉封緻則氣不宣通封則濕氣內結中外相薄寒盛熱生故人傷於寒轉而爲熱汗之而愈則外凝內鬱之理可知斯乃雜病數日者也〔緻〕馳二反

新刊黃帝內經素問卷十六

新刊黃帝内經素問卷十七

啓玄子次註林億孫奇高保衡等奉敕校正孫兆重改誤

○調經論篇第六十二新校正云按全元起本在第一卷

黃帝問曰余聞刺法言有餘寫之不足補之何謂有餘何謂不足歧伯對曰有餘有五不足亦有五帝欲何問帝曰願盡聞之歧伯曰神有餘有不足氣有餘有不足血有餘有不足形有餘有不足志有餘有不足凡此十者其氣不等也神屬心氣屬肺血屬肝形屬脾志屬腎以各有所宗故不等也帝曰人有精氣津液四支九竅五藏十六部三百六十五節乃

生百病百病之生皆有虚實今夫子乃言有餘有五不足亦有五何以生之乎鍼經曰兩神相薄合而成形常先身生是謂精上焦開發宣五穀味熏膚充身澤毛若霧露之漑是謂氣腠理發泄汗出腠理是謂津津之滲於空竅留而不行者為液也十六部者謂手足二九脈五藏五合為十六部也三百六十五節者非謂骨節是神氣出入之處也鍼經曰所謂節之交三百六十五會皆神氣出入遊行之所非骨節也言人身所有則多所舉則少病生之數何以論之岐伯曰皆生於五藏也謂五神藏也夫心藏神肺藏氣肝藏血脾藏肉腎藏志而此成形言所以病皆生於五藏者何哉以內藏五神而成形也志意通內連骨髓而成形五藏志意者通言五神之大凡也骨髓者通言表裏之成化也言五神通系骨髓化成身形既立及五藏互相

爲負分。○新校正云：按甲乙經無五藏二字。五藏之道，皆出於經隧，以行血氣，血氣不和，百病乃變化而生，是故守經隧焉。隧，潛道也。經脈伏行而不見，故謂之經隧焉。血氣者，人之神，邪侵之則血氣不正，血氣不正，故變化而百病乃生矣。然經脈者，所以決死生，處百病，調虛實，故守經隧焉。○新校正云：按甲乙經經隧作經渠，義各通。隧音遂。帝曰：神有餘不足何如？岐伯曰：神有餘則笑不休，神不足則悲。心之藏也。鍼經曰：心藏脈，脈舍神，心氣虛則悲，實則笑不休也。悲一爲憂，誤也。○新校正云：詳王注云悲一爲憂誤也，按甲乙經及太素并全元起注本並作憂。皇甫士安云：心虛則悲，悲則憂；心實則笑，笑則喜。夫心之與肺，脾之與心，互相成也。故喜發於心而成於肺，思發於脾而成於心，一過其節則二藏俱傷。楊上善云：心之憂在心變動也，肺之憂在肺之志，是則肺主秋，憂爲正也。心主於憂亦變而生憂也血氣未并五藏安定邪客於形洒淅起於毫毛未入於經絡也故命曰神之微并謂并合也未與邪合故曰未并也洒淅寒貌也始起於毫毛尚在於小絡神之微病故命曰神之微也○新校正云按甲乙經洒淅作悽厥大素作洫泝楊上善云洫毛孔也水逆流曰洴謂邪氣入於腠理如水逆流於洫帝曰補寫奈何岐伯曰神有餘則寫其小絡之血出血勿之深斥無中其大經神氣乃平邪入小絡故可寫其小絡之脈出其血勿深推鍼鍼深則傷肉以邪居小絡故不欲令鍼中大經也絡血既出神氣自平斥推也小絡孫絡也鍼經曰經脈爲裏支而横者爲絡絡之別者爲孫絡平謂平調也○新校正云詳此注引鍼經曰與三部九候論注兩引之在彼云靈樞而此曰鍼經則王氏之意指靈樞爲鍼經也按今素問注中引鍼經者多靈樞之文但以

靈樞今不全故未得盡知也神不足者視其虛絡按而致之刺而利之無出其血無泄其氣以通其經神氣乃平但通經脉令其和利抑按虛絡令其氣致以神不足故不欲出血及泄氣也○新校正云按甲乙經按作切利作和帝曰刺微奈何釁前初起於毫毛未入於經絡者岐伯曰按摩勿釋著鍼勿斥移氣於不足神氣乃得復按摩其病處手不釋散著鍼於病處亦不推之使其人神氣內朝於鍼移其人神氣令自充足則微病自去神氣乃得復常○新校正云按甲乙經及太素云移氣於足無不字揚上善云按摩使氣至於踵也帝曰善氣有餘不足奈何岐伯曰氣有餘則喘欬上氣不足則息利少氣喘之藏也肺藏氣息不利則喘鍼經曰肺氣虛則鼻息利少氣實則喘喝胷憑仰息也

血氣未并五藏安定皮膚微病命曰白氣微泄肺合皮其色白故皮膚微病命曰白氣微泄帝曰補寫奈何岐伯曰氣有餘則寫其經隧無傷其經無出其血無泄其氣不足則補其經隧無出其氣氣謂榮氣也鍼寫若傷其經則血出而榮氣泄脫故不欲出血泄氣但寫其衛氣而已鍼補則又宜謹閉穴俞然其衛氣亦不欲泄之○新校正云按甲乙經云經隧者手大陰之別從手大陰走手陽明乃是手大陰向手陽明之道欲道藏府陰陽故補寫皆從正經別走之絡寫其陰經別走之路不得傷其正經也帝曰刺微奈何謂前白氣微泄者岐伯曰按摩勿釋出鍼視之曰我將深之適人必革精氣自伏邪氣散亂無所休息氣泄腠理真氣乃相得亦謂按摩

其病然也革皮也我將深深之適人必革者謂其深而淺刺之也如是腸從則人懷懼色故精氣潛伏也以其調適於皮精氣潛伏邪毛所藏故亂散而無休息發泄於腠理也邪氣既泄真氣乃與皮膚相得矣○新校正云按楊上善云革改也夫人聞樂至則身心忻悅聞痛及體情必改異忻悅則百體俱縱改革則情志必拒拒則邪氣消伏帝曰善血有餘不足柰何岐伯曰血有餘則怒不足則恐肝之藏也鍼經曰肝藏血肝氣虛則恐實則怒○新校正云按全元起本恐作悲甲乙經及太素同血氣未并五藏安定孫絡水溢則經有留血絡有聖盛則入於經故云孫絡外溢則經有留血帝曰補寫柰何岐伯曰血有餘則寫其盛經出其血不足則視其虛經內鍼其脉中久留而視○新校正云按甲乙經云久留之血至太素同脉大疾

出其鍼無令血泄脉盛滿則血有餘故出之經氣虛則血不足故無令血泄也久留疾出是謂補之鍼解論曰徐而疾則實義与此同帝曰刺留血奈何岐伯曰視其血絡刺出其血無令惡血得入於經以成其疾血絡滿者刺按出之則惡色之血不得入於經脉帝曰善形有餘不足奈何岐伯曰形有餘則腹脹涇溲不利不足則四支不用脾之藏也鍼經曰脾氣虛則四支不用五藏不安實則腹脹涇溲不利涇大便溲小便也○新校正云按楊上善云涇作經女人月經也血氣未并五藏安定肌肉蠕動命曰微風邪薄肉分衛氣不通陽氣内鼓故肉蠕動○新校正云按全元起本及甲乙經蠕作溢大素作濡帝曰補寫奈何岐伯曰形有餘則寫其陽經不足則

補其陽絡（並胃之經絡）帝曰刺微奈何岐伯曰取分肉間無中其經無傷其絡衛氣得復邪氣乃索（衛氣者所以温分肉而充皮膚肥腠理而司開闔故肉蠕動即取分肉間但開肉分以出其邪故无中其經无傷其絡衛氣復舊而邪氣盡索散盡也）帝曰善志有餘不足奈何岐伯曰志有餘則腹脹飧泄不足則厥（腎之藏也鍼經曰腎藏精精舍志腎氣虛則厥實則脹脹謂脹起厥謂逆行上衝也足少陰脉下行今氣不足故隨衝脉逆行而上衝也飧音孫）血氣未并五藏安定骨節有動（腎合骨故骨有邪薄則骨節段動或骨節之中如有物鼓動之也）帝曰補寫奈何岐伯曰志有餘則寫然筋血者（新校正云按甲乙經及太素云寫然筋血者出其血揚上善云然筋當是然谷下筋再詳諸處引然

谷者灸三壯然骨之前刺血者疑此骨之二字前字誤作筋字不足則補其復溜然謂然谷足少陰滎也在內踝之前太骨之下陷者中血絡盛則泄之其刺可入同身寸之三分留三呼若灸者可灸三壯復溜足少陰經也在內踝上同身寸之二寸陷者中刺可入同身寸之三寸留三呼若灸者可灸五壯帝曰刺未并奈何岐伯曰即取之無中其經邪所乃能立虛不求穴俞而直取居邪之處故云即取之○新校正云按甲乙經邪所作以去其邪帝曰善余已聞虛實之形不知其何以生岐伯曰氣血以并陰陽相傾氣亂於衛血逆於經血氣離居一實一虛衛行脉外故氣亂於衛血行經內故血逆於經血氣不和故一虛一實血并於陰氣并於陽故為驚狂氣并於陽則陽氣外盛故為驚狂血并於陽

氣并於陰乃爲炅中氣并於陰則陽氣內盛故爲熱中炅熱也血并於上氣并於下心煩惋善怒血并於下氣并於上亂而喜忘上謂鬲上下謂鬲下帝曰血并於陰氣并於陽如是血氣離居何者爲實何者爲虛岐伯曰血氣者喜溫而惡寒寒則泣不能流溫則消而去之泣謂如雪在水中凝住而不行去也是故氣之所并爲血虛血之所并爲氣虛氣并於血則血少故血虛血并於氣則氣少故氣虛帝曰人之所有者血與氣耳今夫子乃言血并爲虛氣并爲虛是無實乎岐伯曰有者爲實無者爲虛氣并於血則血無血并於氣則氣無故氣并則無血血并則無氣

今血與氣相失故爲虛焉氣并於血則血失其氣血并於氣則氣失其血故曰血與氣相失絡之與孫脈俱輸於經血與氣并則爲實焉血之與氣并走於上則爲大厥厥則暴死氣復反則生不反則死帝曰實者何道從來虛者何道從去虛實之要願聞其故岐伯曰夫陰與陽皆有俞會陽注於陰陰滿之外陰陽匀平以充其形九候若一命曰平人平人謂平和之人夫邪之生也或生於陰或生於陽其生於陽者得之風雨寒暑其生於陰者得之飲食居處陰陽喜怒帝曰風雨之傷人柰何岐伯曰風雨之

傷人也先客於皮膚傳入於孫脈孫脈滿則傳入於絡脈絡脈滿則輸於大經脈血氣與邪并客於分腠之間其脈堅大故曰實實者外堅充滿不可按之按之則痛帝曰寒濕之傷人奈何岐伯曰寒濕之中人也皮膚不收（新校正云按全元起云不收不仁也甲乙經及太素云皮膚收無不字）肌肉堅緊榮血泣衛氣去故曰虛虛者聶辟氣不足按之則氣足以溫之故快然而不痛（聶謂聶皺辟謂辟疊也○新校正云按甲乙經作攝辟太素作聶辟）帝曰善陰之生實奈何（實謂邪氣盛也）岐伯曰喜怒不節則陰氣上逆上逆則下虛下虛則陽氣

走之故曰實矣新校正云按經一云言喜怒不節則陰氣上逆疑剩喜字帝曰陰之生虛柰何虛謂精氣奪也岐伯曰喜則氣下悲則氣消消則脉虛空因寒飲食寒氣熏滿新校正云按甲乙經作動藏則血泣氣去故曰虛矣帝曰經言陽虛則外寒陰虛則內熱陽盛則外熱陰盛則內寒余已聞之矣不知其所由然也經言謂上古經言也岐伯曰陽受氣於上焦以溫皮膚分肉之閒今寒氣在外則上焦不通上焦不通則寒氣獨留於外故寒慄慄謂振慄也帝曰陰虛生內熱柰何岐伯曰有所勞倦形氣衰少穀氣不盛上焦不行下脘

不通新校正云按甲乙經作下焦不通胃氣熱熱氣熏胸中故內熱甚用其力致勞倦也貪役不食故穀氣不盛也帝曰陽盛生外熱奈何岐伯曰上焦不通利則皮膚緻密腠理閉塞玄府不通新校正云按甲乙經及太素無玄府二字衛氣不得泄越故外熱外傷寒毒內薄諸陽寒外盛則皮膚收皮膚收則腠理密故衛氣稸聚無所流行矣寒氣外薄陽氣內爭積火內燔故生外熱也爾斉須帝曰陰盛生內寒奈何岐伯曰厥氣上逆寒氣積於胸中而不寫不寫則溫氣去寒獨留則血凝泣凝則脉不通新校正云按甲乙經作腠理不通其脉盛大以濇故中寒溫氣

謂陰氣也陰逆內蓄則陽氣去於皮外也帝曰陰與陽并血氣以并

病形以成刺之奈何岐伯曰刺此者取之經隧取血於營取氣於衛用形哉因四時多少高下營主血陰氣也衛主氣陽氣也夫行鍼之道必先知形之長短骨之廣狹循三備法通計身形以施分寸故曰用形也四時多少高下具在下篇帝曰血氣以并病形以成陰陽相傾補寫奈何岐伯曰寫實者氣盛乃內鍼鍼與氣俱內以開其門如利其戶鍼與氣俱出精氣不傷邪氣乃下外門不閉以出其疾搖大其道如利其路是謂大寫必切而出大氣乃屈言欲開其穴而泄其氣也切謂急也言急出其鍼也鍼解論曰疾而徐則虛者疾出鍼而徐按之也大氣謂大邪氣也屈謂退屈也帝曰補虛奈何岐伯

曰持鍼勿置以定其意候呼内鍼氣出鍼入鍼空四塞精無從去方實而疾出鍼氣入鍼出熱不得還閉塞其門邪氣布散精氣乃得存動氣候時新校正云按甲乙經作動無後時近氣不失遠氣乃來是謂追之言但密閉穴俞勿令其氣散泄也近氣謂已至之氣遠氣謂未至之氣也欲動經氣而爲補補者皆必候水刻氣之所在而刺之是謂得時而調之追言補也鍼經曰追而濟之安得無實則此謂也帝曰夫子言虛實者有十生於五藏五藏五脉耳夫十二經脉皆生其病新校正云按甲乙經云皆生百病大素同今夫子獨言五藏夫十二經脉者皆絡三百六十五節節有病必被經脉經脉之

病皆有虛實何以合之岐伯曰五藏者故得六府與爲表裏經絡支節各生虛實其病所居隨而調之從其左右經氣支節而調之病在脉調之血脉者血之府脉實血實脉虛血虛由此脉病而調之血也○新校正云按全元起本及甲乙經云病在血調之也病在血調之絡血病則絡脉易故調之於絡也病在氣調之衛衛主氣故氣病而調之衛也病在肉調之分肉候寒熱而取之病在筋調之筋適緩急而刺熨之病在骨調之骨察輕重而調之燔鍼刼刺其下及與急者調筋法也筋急則燒鍼而刼刺之病在骨焠鍼藥熨調骨法也焠鍼火鍼也病不知所痛兩蹻爲上兩蹻謂陰陽蹻脉陰蹻之脉出於照海陽蹻之脉出於申脉中脉在足外踝下陷者中容

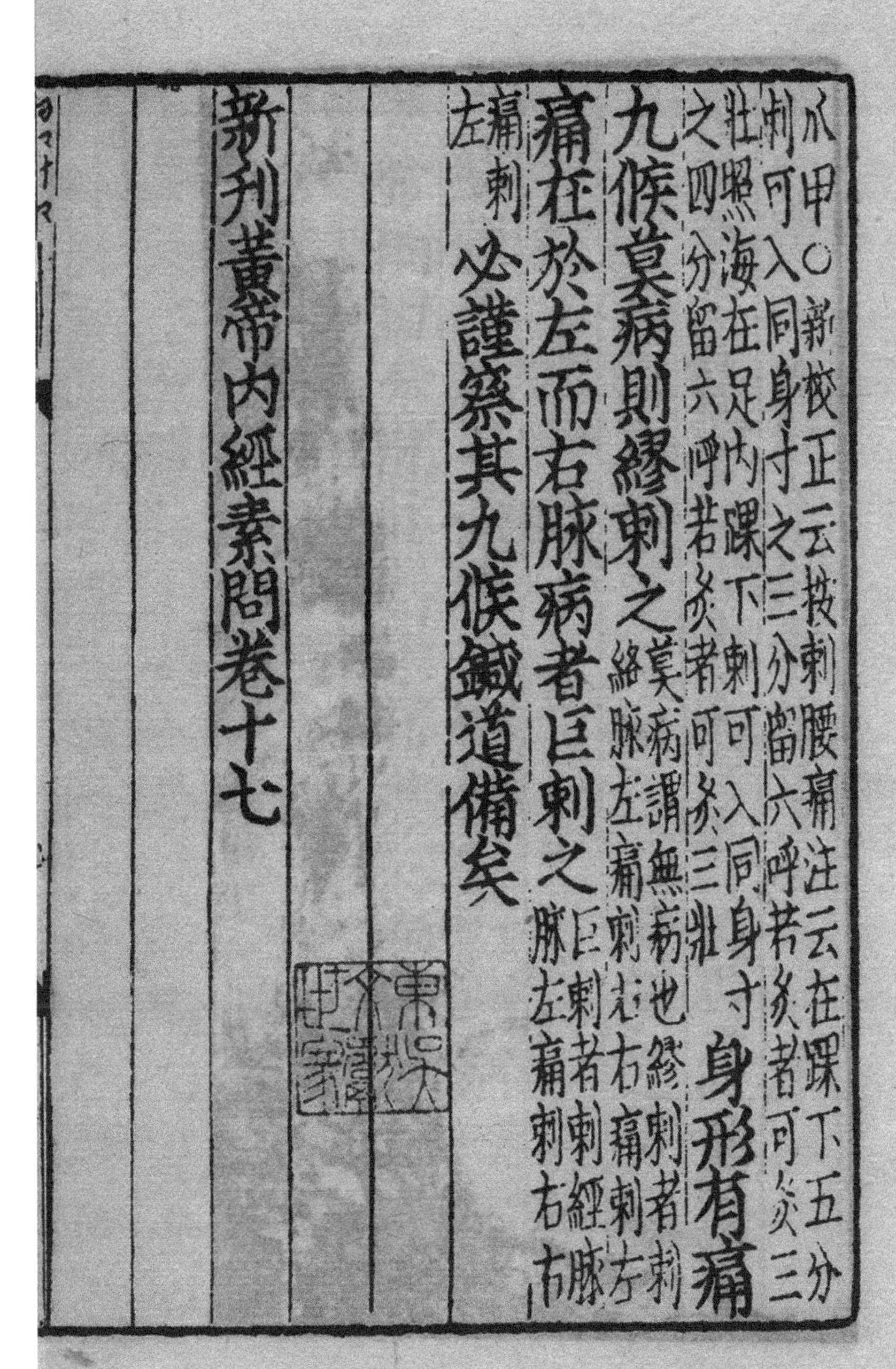

爪甲○新校正云按刺腰痛注云在踝下五分刺可入同身寸之三分留六呼若灸者可灸三壯照海在足内踝下刺可入同身寸之四分留六呼若灸者可灸三壯身形有痛九候莫病則繆刺之莫病謂無病也繆刺者刺絡脉左痛刺右右痛刺左痛在於左而右脉病者巨刺之巨刺者刺經脉左痛刺右右痛刺左必謹察其九候鍼道備矣

新刊黄帝内經素問卷十七

新刊黃帝內經素問卷十八

啓玄子次註林億孫奇高保衡等奉敕校正孫兆重改誤

繆刺論　四時刺逆從論

標本病傳論

○繆刺論篇第六十三

新校正云按全元起本在第二卷

黃帝問曰：余聞繆刺，未得其意，何謂繆刺？繆刺言所刺之穴應用如紐繆綱紀也岐伯對曰：夫邪之客於形也，必先舍於皮毛，留而不去，入舍於孫脈，留而不去，入舍於絡脈，留而不去，入舍於經脈，內連五藏，散於腸胃，陰陽俱感，五藏乃傷，此邪之從皮毛

而入極於五藏之次也如此則治其經焉今邪
客於皮毛入舍於孫絡留而不去閉塞不通不
得入於經流溢於大絡而生奇病也病在血絡是謂奇邪
○新校正云按全元起云大絡十五絡也夫邪客大絡者左注右右
注左上下左右與經相干而布於四末其氣無
常處不入於經俞命曰繆刺四末謂四支也帝曰願聞
繆刺以左取右以右取左奈何其與巨刺何以
別之岐伯曰邪客於經左盛則右病右盛則左
病亦有移易者新校正云按甲乙經作病易且移左痛未已而
右脉先病如此者必巨刺之必中其經非絡脉

也（先病者謂彼痛未止而此先病以承之）故絡病者其痛與經脉繆處故命曰繆刺（絡謂正經之傍支非正別也亦兼公孫飛揚等之別絡也◎新校正云按王氏云非正別也按本論邪客足太陰絡令人腰痛汁引脊髀合陽明上絡嗌貫舌中乃太陰之正也亦是經脉之正安得謂之作正別也）帝曰願聞繆刺奈何取之何如岐伯曰邪客於足少陰之絡令人卒心痛暴脹胷脇支滿（以其絡支別者並正經從腎上貫肝鬲走於心包故邪客之則病如是）無積者刺然骨之前出血如食頃而已（然骨之前然谷穴也在足內踝前起大骨下陷者中足少陰滎也刺可入同身寸之三分留三呼若灸者可灸三壯刺此多見血令人立飢欲食）不已左取右右取左（言痛在左取之右痛在右取之左餘如此例）病新發者取五

日已素有此病而新發先刺之五日乃已邪客於手少陽之絡令人喉痺舌卷口乾心煩臂外廉痛手不及頭以其脈循手表出臂外上肩入缺盆布膻中散絡心包其支者從膻中上出缺盆上項交心主其舌故病如是刺手中指次指爪甲上去端如韭葉各一痏謂關衝穴少陽之井也刺可入同身寸之一分留三呼若灸者可灸三壯左右手皆刺之故言各一痏痏猶瘡也○新校正云按甲乙經關衝穴出手小指次指之端今言中指者誤也壯者立已老者有頃已左取右右取左此新病數日已邪客於足厥陰之絡令人卒疝暴痛以其絡去內踝上同身寸之五寸別走少陽其支別者循脛上睾結於莖故令人卒疝暴痛睾陰丸也刺足大指爪甲上與肉交者各一痏謂大敦穴

足大指之端去爪甲角如韭葉厥陰之井也刺可入同身寸之三分留十呼若灸者可灸三壯

男子立已女子有頃已左取右右取左邪客於

足太陽之絡令人頭項肩痛以其經之正者從腦出別下項支別者從髆內左右別下又其絡自從上行循背上頭故頭項肩痛也○新校正按甲乙經云其支者從巔入絡腦還出別下項王氏云經之正者正當作支刺足小指爪甲上

與肉交者各一痏立已謂至陰穴太陽之井也刺可入同身寸之一分留五呼若灸者可灸三壯○新校正云按甲乙經云在足小指外側去爪甲角如韭葉不

已刺外踝下三痏左取右右取左如食頃已謂金門穴足太陽郄也在外踝下刺可入同身寸之三分若灸者可灸三壯邪客於手

陽明之絡令人氣滿胷中喘息而支胠胷中熱

以其經自肩端入缺盆絡脈其支別者從缺盆中直而上頸故病如是刺手大指次指爪甲上去端如韭葉各一痏左取右右取左如食頃已謂商陽穴手陽明之井也刺可入同身寸之一分留一呼若灸者可灸一壯○新校正按甲乙經云商陽在手大指次指内側去爪甲角如韭葉邪客於臂掌之間不可得至刺其踝後新校正云按全元起本云是人手之本節踝也先以指按之痛乃刺之以月死生爲數月生一日一痏二日二痏十五日十五痏十六日十四痏隨日數也月半已前謂之生月半以後謂之死虧滿而異也邪客於足陽蹻之脈令人目痛從内眥始以其脈起於足上行至頭而屬目内眥故病令人目痛從内眥始也何以明之八十一難經曰陽蹻脈者起於跟中

循外踝上行入風池鍼經曰陰蹻陽蹻入鼽屬目內眥合於太陽陽蹻而上行尋此則至於目內眥也刺外踝之下半寸所各二痏謂申脈穴陽蹻之所生也在外踝下陷者中容爪甲刺可入同身寸之三分留六呼若灸者可灸三壯○新校正云按刺腰痛注云外踝下五分左刺右右刺左如行十里頃而已人有所墮墜惡血留內腹中滿脹不得前後先飲利藥此上傷厥陰之脈下傷少陰之絡刺足內踝之下然骨之前血脈出血此少陰之絡也○新校正云詳血脈出血脈字疑是絡字刺足跗上動脈謂衝陽穴胃之原也刺可入同身寸之三分留十呼若灸者可灸三壯主腹大不嗜食以腹脹滿故取之不已刺三毛上各一痏見血立已左刺右右刺左謂大敦穴厥陰之井也

善悲驚不樂刺如右方善悲驚不樂亦如上法刺之邪客於手陽明之絡令人耳聾時不聞音以其經支者從缺盆上頸貫頰又其絡支別者入耳會於宗脉故病令人耳聾時不聞聲音刺手大指次指爪甲上去端如韭葉各一痏立聞商陽穴亦同前不已刺中指爪甲上與肉交者立聞謂中衝穴手心主之井也在手中指端去爪甲如韭葉陷者中刺可入一分留三呼灸可三壯古經脫簡不絡可尋恐是刺小指爪甲上與肉交者也何以言之下文云手少陰絡會於耳中也若小指之端是謂少衝手少陰之井刺可入一分留一呼灸者可一壯○新校正云按王氏云恐是小指爪甲上少衝穴按甲乙經手心主之正上循喉嚨出耳後少陽完骨之下如是則安得不刺中衝而疑爲小衝也其不時聞者不可刺也不時聞者絡氣已絕故不可刺耳中生風者亦刺之如

此數左刺右右刺左凡痺往來行無常處者在分肉間痛而刺之以月死生爲數用鍼者隨氣盛衰以爲痏數鍼過其日數則脫氣不及日數則氣不寫左刺右右刺左病已止不已復刺之如法言所以約月死生爲數者何以隨氣之盛衰也月生一日一痏二日二痏漸多之十五日十五痏十六日十四痏漸少之如是刺之則無過數無不及也邪客於足陽明之經令人鼽衄上齒寒以其脈起於鼻交頞中下循鼻外入上齒中還出俠口環脣下交承漿却循頤後下廉出大迎循頰車上耳前故病令人鼽衄上齒寒也復以其脈左右交於面部故舉經脈之病以明繆処之類故下文云○新校正云按全元起本与甲乙經陽明之經

作陽明之絡刺足中指次指爪甲上與肉交者各一痏左刺右右刺左中當爲大亦傳寫中大之誤也據靈樞經孔穴圖經中指次指爪甲上无穴當言刺大指次指爪甲上乃厲兌穴陽明之井不當更有次指二字也厲兌者刺可入同身寸之一分留一呼若灸者可灸一壯○新校正云按甲乙經云刺足中指爪甲上无次指二字蓋以大指次指爲中指義与王注同下文云足陽明中指爪甲上亦謂此穴也厲兌在足大指次指之端去爪甲角如韭葉邪客於足少陽之絡令人脇痛不得息欬而汗出以其脈支別者從目銳眥下大迎合手少陽於頄下加頰車下頸合缺盆以下胸中貫鬲絡肝膽循脇故令人脇痛欬而汗出邪之穴刺刺足小指次指爪甲上與肉交者各一痏謂竅陰穴少陽之井也刺可入同身寸之一分留一呼若灸者可灸三壯○新校正云按甲乙經竅陰在

足小指支指之端去爪甲角如韭葉不得息立已汗出立止欬者
溫衣飲食一日已左刺右右刺左病立已不已
復刺如法邪客於足少陰之絡令人嗌痛不可
內食無故善怒氣上走賁上以其經支別者從肺出絡心注胸中
又其正經從腎上貫肝鬲入肺中循喉嚨俠舌本故病令人嗌乾痛不可內食無故善怒氣上
走賁上也賁謂氣奔也○新校正云詳王注以賁上為氣奔者非按難經胃為賁門楊操云賁
鬲也是氣上走鬲上也經既云氣上走安得更以賁為奔上之解刺足下中央
之脉各三痏凡六刺立已左刺右右刺左謂涌泉穴
少陰之井也在足心陷者中屈足捲指宛宛中刺可入同身寸之三分留三呼若灸者可灸三
壯嗌中腫不能內唾時不能出唾者刺然骨之

前出血立已左刺右右刺左亦足少陰之絡也以其絡並大經喉嚨故亦刺之此二十九字本錯簡在邪客手足少陰太陰足陽明之絡前今遷於此○新校正云詳王注以其絡並大經循喉嚨差互按甲乙經足少陰之絡並經上走心包少陰之經循喉嚨今王氏之注經與絡交互當以甲乙經為正也邪客於足太陰之絡令人腰痛引少腹控䏚不可以仰息足太陰之絡從髀合陽明上貫尻骨中與厥陰少陽結於下髎而循尻骨內入腹上絡嗌貫心中故腰痛則引少腹控於䏚中也䏚謂季脇下之空軟處也受邪氣則絡拘急故不可以仰伸而喘息也刺腰痛篇中無息字○新校正云詳王注云足太陰之絡按甲乙經以大陰之正上并絡也王氏謂之絡者未詳具六字刺腰尻之解兩胂之上是腰俞以月死生為痏數發鍼立已左刺右右刺左腰尻骨間曰解當中有腰

俞穴可入同身寸之二寸○新校正云按氣府論注作二分刺熱論注作二分水穴篇注作二分熱穴篇注作二寸甲乙經作二寸留七呼注與經同中誥孔穴經云左取右右取左當中不應亦此次腰下挾脊有骨空各四皆主腰痛下髎在與經同是足太陰厥陰少陽所結刺可入同身寸之二寸留十呼若灸者可灸三壯腫謂脇髁伸也腰俞髁伸皆當取之也○新校正云按此邪客足太陰之絡非刺法一項已見刺腰痛篇中彼注甚詳此特多是腰俞三字耳別按全元起本舊无此三字王氏類知腰俞无无

邪左右取之理而注之而不知全元起本舊无以

客於足太陽之絡令人拘攣背急引脇而痛其經從髆內左右別下貫胂合膕中故痛令人拘攣背急引脇而痛○新校正云按全元起本及甲乙經引脇而痛下更云內引心而痛

刺之從項始數脊椎俠脊疾按之應手如痛刺之傍三痏立已從項始數脊椎者謂

從大推數之至第二推兩傍各同身寸之一寸五分內逼脊兩傍按之有痛應手則邪客之處也隨痛應手深淺即而刺之邪客在脊骨兩傍故言刺之傍也邪客於足少陽之絡令人留於樞中痛髀不可舉以其經出氣街繞髦際橫入髀厭中故痛令人留於髀樞後痛解不可舉也樞謂髀樞也刺樞中以毫鍼寒則久留鍼以月死生為數立已髀樞之後則環跳穴也正在髀樞後故言刺髀樞後也環跳者足少陽脉氣所發刺可入同身寸之一寸留二呼若灸者可灸三壯毫鍼者第七鍼也○新校正云按甲乙經環跳在髀樞中氣穴論云在兩髀厭分中此經云刺樞中而王氏以謂髀樞之後者誤也治諸經刺之所過者不病則繆刺之正言也經不病則邪在絡故繆刺之若經所過有病是則經病不當繆刺矣耳聾刺手陽明不已刺其通脉出耳前者

手陽明謂前手大指次指去端如韭葉者也是謂商陽據中誥孔穴圖經手陽明脉中商陽合谷陽谿徧歷四穴並主耳聾今經所指謂前商陽不謂此合谷等穴也耳前通脉手陽明脉正當聽會之分可入同身寸之四分若灸者可灸三壯齒齲刺手陽明不已刺其脉入齒中者立已據甲乙經孔穴圖經手陽明脉中商陽二間三間合谷陽谿徧歷溫留七穴並主齒痛手陽明脉貫頰入下齒中足陽明脉循鼻外入上齒中也齲蚛齒也邪客於五藏之間其病也脉引而痛時來時止視其病繆刺之於手足爪甲上各刺其井左取右右取左視其脉出其血間日一刺一刺不已五刺已有血脉者則刺之如此數繆傳引上齒齒唇寒痛視其手背脉血者去之若病繆傳而引上齒齒唇寒痛者刺手背陽明絡也足陽明

中指爪甲上一痏手大指次指爪甲上各一痏立已左取右右取左謂第二指厲兌穴也手大指次指謂商陽穴手陽明用此鍼經曰齒痛不惡清飲取足陽明惡清飲取手陽明〇新校正云詳前文邪客足陽明刺中指次指爪甲上是蓋剩次指二字當如此只言中指爪甲上乃是邪客於手足少陰太陰足陽明之絡此五絡皆會於耳中上絡左角手少陰真心脈足少陰腎脈手太陰肺脈足太陰脾脈足陽明胃脈此五絡皆會於耳中而出絡左額角也五絡俱竭令人身脈皆動而形無知也其狀若尸或曰尸厥言其卒冒悶而如死尸身脈猶如常人而動也然陰氣盛於上則下氣重上而邪氣逆邪氣逆則陽氣亂陽氣亂則五絡閉結而不通故其狀若尸也以是從厥而生故或曰尸厥刺其足大指內側爪甲

上去端如韭葉謂隱白穴足太陰之井也刺可入同身寸之一分留三呼若灸者可灸三壯後刺足心謂涌泉穴足少陰之井也刺同前取涌泉穴法後刺足中指爪甲上各一痏謂第二指足陽明之井也刺同前取厲兌穴法後刺手大指內側去端如韭葉謂少商穴手太陰之井也刺可入同身寸之一分留三呼若灸者可灸三壯後刺手心主謂中衝穴手心主之井也刺可入同身寸之一分留三呼若灸者可灸一壯○新校正云按甲乙經不刺手心主詳此五絡之數亦不及手心主而此刺之是有六絡未會王氷相隨注之不爲明辨之白也少陰銳骨之端各一痏立已謂神門穴在掌後銳骨之端陷者中手少陰之俞也刺可入同身寸之三分留七呼若灸者可灸三壯不已以竹管吹其兩耳言使氣入耳中內助五絡令氣復通也當內管入耳以手密擫之勿令氣泄而

極吹之氣竅然後絡脈通也○新校正云按陶隱居云吹其左耳極三度復吹其右耳三度也

鬄其左角之髮方一寸燔治，飲以美酒一杯，不能飲者灌之，立已。左角之髮是五絡血之餘，故鬄之燔治，飲之以美酒也。酒者所以行藥勢，又炎上而內走於心，心主脈，故以美酒服之。鬄音替

凡刺之數，先視其經脈，切而從之，審其虛實而調之，不調者經刺之，有痛而經不病者繆刺之，因視其皮部有血絡者盡取之，此繆刺之數也。

○四時刺逆從論第六十四

新校正云：按厥陰有餘至筋急目痛，全元起本在第六卷；春氣在經脈至篇末，全元起本在第一卷。

厥陰有餘病陰痺痺謂痛也陰謂寒也有餘謂厥陰氣盛滿故陰發於外而爲寒痺○新校正云詳王氏以痺爲痛未通不足病生熱痺陰不足則陽有餘故爲熱痺滑則病狐疝風濇則病少腹積氣厥陰脈循股陰入髦中環陰器抵少腹又其絡支別者絡脛上睾結於莖故爲疝少腹積氣也○新校正云按楊上善云狐夜不得尿日出方得人之所病與狐同故曰狐疝一謂三焦孤府爲疝故曰狐疝少陰有餘病皮痺隱軫不足病肺痺腎水逆連於肺母故也足少陰脈從腎上貫肝鬲入肺中故有餘病皮痺隱軫不足病肺痺也滑則病肺風疝濇則病積溲血以其正經入肺貫腎絡膀胱故爲肺疝及積溲血也太陰有餘病肉痺寒中不足病脾痺脾主肉故如是滑則病脾風疝濇則病積心腹時滿太陰之脈

入腹屬脾絡胃其支別者復從胃別上鬲注心中故爲脾疝心䐜時滿也 陽明有餘病脈痹身時熱不足病心痹 胃有餘則上歸於心不足則心下痹故爲是 滑則病心風疝濇則病積時善驚 心主之脈起於胷中出屬心包下鬲歷絡三焦故爲心疝時善驚 太陽有餘病骨痹身重不足病腎痹 太陽與少陰爲表裏故有餘不足皆病歸於腎也 滑則病腎風疝濇則病積善時巔疾 太陽之脈交於巔上入絡腦下循膂絡腎故爲腎風及巔病也 少陽有餘病筋痹脅滿不足病肝痹 少陽與厥陰爲表裏故病歸於肝 滑則病肝風疝濇則病積時筋急目痛 肝主筋故筋急厥陰之脈上出額與督脈會於巔其支別者從目系下頰裏故目痛 是故春氣在經脈夏氣在孫絡長

夏氣在肌肉，秋氣在皮膚，冬氣在骨髓中。帝曰：余願聞其故。岐伯曰：春者，天氣始開，地氣始泄，凍解冰釋，水行經通，故人氣在脉。夏者，經滿氣溢，入孫絡受血，皮膚充實。長夏者，經絡皆盛，內溢肌中。秋者，天氣始收，腠理閉塞，皮膚引急。引謂牽引以縮急也。冬者蓋藏，血氣在中，內著骨髓，通於五藏。是故邪氣者，常隨四時之氣血而入客也，至其變化，不可爲度，然必從其經氣，辟除其邪，除其邪則亂氣不生。得氣而調故不亂。帝曰：逆四時而生亂氣奈何？岐伯曰：春刺絡脉，血氣外溢，令人少

氣血氣溢於外則中不足故少氣○新校正云按自春刺絡脈至令人目不明與診要經終
論義同文異彼注甚詳於此彼分四時此分五時然此有長夏刺肌肉之分而逐兩各闕刺一
分之事疑此肌肉之分即彼皮膚之分也春刺肌肉血氣環逆令
人上氣血逆氣上故上氣○新校正云按經闕春刺秋分春刺筋骨血
氣內著令人腹脹內著不散故脹夏刺經脈血氣乃竭
令人解㑊血氣竭少故解㑊然不可名之也解㑊謂寒不寒熱不熱壯不壯弱不弱
故不可名之也夏刺肌肉血氣內却令人善恐邪閉也血氣內
閉則陽氣不通故善怒夏刺筋骨血氣上逆令人善怒血氣
上逆則怒氣相遠故善怒○新校正云按經闕夏刺秋分秋刺經脈血氣上
逆令人善忘血氣上逆滿於肺中故善忘秋刺絡脈氣不外

行（新校正云：按別本作血氣不行，全元起本作氣不衛外，太素同）令人卧不欲動（以虛甚故○新校正云：按經闕秋刺長夏分）秋刺筋骨，血氣內散，令人寒慄（血氣內散則中氣虛，故寒慄）冬刺經脉，血氣皆脫，令人目不明（以血氣無所營故也）冬刺絡脉，內氣外泄，留爲大痺。冬刺肌肉，陽氣竭絕，令人善忘（陽氣不壯，至春而竭，故善忘○新校正云：按經闕冬刺秋分）凡此四時刺者，大逆之病（新校正云：按全元起本作六經之病）不可不從也，反之則生亂氣相淫病焉（謂不次也，不次而行，如浸淫相染而生病也）故刺不知四時之經，病之所生，以從爲逆，正氣內亂，與精相薄。必審九候，正氣不亂，精氣不轉（不轉謂不逆轉也）

帝曰：善。刺五藏，中心一日死，其動爲噫。診要經終論曰：中心者環死。刺禁論曰：一日死，其動爲噫。中肝五日死，其動爲語。診要經終論闕而不論。刺禁論曰：中肝五日死，其動爲語。○新校正云：按甲乙經語作欠。中肺三日死，其動爲欬。診要經終論曰：中肺五日死。刺禁論曰：中肺三日死，其動爲欬。中腎六日死，新校正云：按甲乙經作三日。其動爲嚏欠。診要經終論曰：中腎七日死。刺禁論曰：中腎六日死，其動爲嚏。○新校正云：按甲乙經無欠字。中脾十日死，新校正云：按甲乙經作十五日。其動爲吞。診要經終論曰：中脾五日死。刺禁論曰：中脾十日死，其動爲吞。然此三論皆岐伯之言，而死日動變不同，傳之誤也。刺傷人五藏必死，其動則依其藏之所變候知其死也。變謂氣動變也。中心下至此並爲逆從重文也。

標本病傳論篇第六十五 新校正云按全元起本在第二卷皮部論篇前

黄帝問曰病有標本刺有逆從奈何岐伯對曰凡刺之方必別陰陽前後相應逆從得施標本相移故曰有其在標而求之於標有其在本而求之於本有其在本而求之於標有其在標而求之於本故治有取標而得者有取本而得者有逆取而得者有從取而得者得病之情知治大体則逆從皆可施必中焉故知逆與從正行無問知標本者萬舉萬當道不疑惑識斷深明則無問於人正行皆當不知標本是謂妄

行識猶褊淺道未高深舉且見違故行多妄夫陰陽逆從標本之爲道也小而大言一而知百病之害著之至也言別陰陽知逆順法明著見精微觀其所舉則小尋其所利則大以斯明著故言一而知百病之害少而多淺而博可以言一而知百也言少可以貫多舉淺可以料大者何法之明故非聖人之道孰能至於是邪故舉之者猶可以言一而知百病也博大也以淺而知深察近而知遠言標與本易而勿及雖事極深人非咫尺略以淺近而悉貫之然標本之道雖易可爲言而世人識見無能及者治反爲逆治得爲從先病而後逆者治其本先逆而後病者治其本先寒而後生病者治其本先病而後生寒者治其本先熱而後生病者治其

本先熱而後生中滿者治其標先病而後泄者治其本先泄而後生他病者治其本必且調之乃治其他病先病而後生中滿者治其標先中滿而後煩心者治其本人有客氣有同氣新校正云按全元起本同作固小大不利治其標小大利治其本本先病標後病必謹察之病發而有餘本而標之先治其本後治其標病發而不足標而本之先治其標後治其本本而標之謂有先病復有後病也以其有餘故先治其本後治其標也標而本之謂先發輕微緩者後發重大急者以其不足故先治其標後治其本也謹察間甚以意調之間謂多也甚謂少也多謂多形證而輕易少謂少形證而重難也以意調之謂

審量標本不足有餘非謂捨法而以意妄爲調之也間者并行甚者獨行先小大不利而後生病者治其本并謂他脉共受邪氣而合病也獨爲一經受病而無異氣相參也并甚則相傳傳急則亦死夫病傳者心病先心痛藏眞通於心故心先痛一日而欬心火勝金傳於肺也肺在變動爲欬故尔三日脇支痛肺金勝木傳於肝也以其脉循脇肋故如是五日閉塞不通身痛體重肝木勝土傳於脾也脾性安鎮木氣乗之故閉塞不通身痛体重三日不已死以勝相伐唯弱是從五藏四傷豈其能久故爲即死冬夜半夏日中謂正子午之時也或言冬夏有異非也晝夜之半事甚昭然。○新校正云按靈樞經大氣入藏病先發於心一日而之肺三日而之肝五日而之脾三日不已死冬夜半夏日中甲乙經曰病先發於心心痛一日之肺而欬三日之肝脇支痛五日之脾閉塞不通身病體重三日不已死冬夜半夏日中詳素問言其病靈樞言其藏甲乙經乃并素問靈樞二經之文而病形與藏兼舉之肺病喘欬藏真高於肺而主息故喘欬三日而脇支滿痛肺傳於肝一日身重體痛肝傳於脾五日而脹自傳於府十日不已死冬日入夏日出孟冬之中日入於申之八刻二分仲冬之中日入於申之七刻三分季冬之中入於申與孟月等孟夏之中日出於寅之八刻一分仲夏之中日出於寅之七刻三分季夏之中日出於寅與孟月等也肝病頭目眩脇支滿藏真散於肝脈內連目脇故如是三日體重身痛肝傳於脾五日而脹自傳於府三日腰脊少腹痛脛痠謂胃傳於腎以其脈起於足循腨內出膕內廉上股內後廉貫脊屬腎絡膀胱故如是也腰為腎之府故腰痛三日不已死冬日入新校正云按甲乙經作日

中夏早食日入早晏如冬法也早食謂早於食時則卯正之時也脾病身痛體重藏真濡於脾而主肌肉故爾一日而脹自傳於府二日少腹腰脊痛脛痠胃傳於腎三日背䏚筋痛小便閉自傳於府及入䏚也䏚音呂十日不已死冬人定夏晏食人定謂申後二十五刻晏食謂寅後二十五刻腎病少腹腰脊痛䯒痠藏真下於腎故如是三日背䏚筋痛小便閉自傳於府○新校正云按靈樞經云之䏚膀胱是自傳於府及之䏚也三日腹脹膀胱傳小腸○新校正云按甲乙經云三日上之心心脹三日兩脇支痛府傳於藏○新校正云按靈樞經云三日之小腸三日上之心今云兩脇肢痛是小腸府傳心藏而發痛也三日不已死冬大晨夏晏晡大晨謂寅後九刻大明之時也晏晡謂申後九刻向昏之時也

胃病脹滿（以其脉循腹故如是）五日少腹腰脊痛䯒痠（胃傳於腎）三日背䏢筋痛小便閉（自傳於府及之脬也）五日身體重（膀胱水府傳於脾也○新校正云按靈樞經及甲乙經各云五日上之心是膀胱傳心爲相勝而身體重今王氏言傳脾者誤也）六日不已死冬夜半後夏日昳（夜半後謂子後八刻丑正時也日昳謂午後八刻未正時也昳徒結切）膀胱病小便閉（以其爲津液之府故小）五日少腹脹腰脊痛䯒痠（自歸於藏）一日腹脹（腎復傳於小腸）一日身體痛（小腸傳於脾○新校正云按靈樞經云一日上之心是府傳於藏也甲乙經作之脾與王注同）二日不已死冬鷄鳴夏下晡（鷄鳴謂早鷄鳴丑正之分也下晡謂日下於晡時申之後五刻也）諸病以次是相傳如是者皆有死期不

可刺五藏相移皆如此有緩傳者有急傳者緩者或一歲二歲三歲而死其次或三月若六月而死急者一日二日三日四日或五六日而死則此類也尋此病傳之法皆五行之氣考其日數理不相應夫以五行為紀以不勝之數傳於所勝者謂火傳於金當云一日金傳於木當云二日木傳於土當云四日土傳於水當云三日水傳於火當云五日也若以己勝之數傳於不勝者則木三日傳於土土五日傳於水水一日傳於火火二日傳於金金四日傳於木經之傳日似法三陰三陽之氣玉機真藏論曰五藏相通移皆有次不治三月若六月若三日若六日傳而當死當與同也雖尒猶當臨病詳視日數方悉是非**間一藏止**新校正云按甲乙經無止字**及至三四藏者乃可刺也**間一藏止者謂隔過前一藏而不更傳也則謂木傳土土傳水水傳火火傳金金傳木而止皆間隔一藏也及至三四藏者皆謂至前第三第四藏也諸至三藏者皆是其已不勝之氣也至四藏者皆至己所生

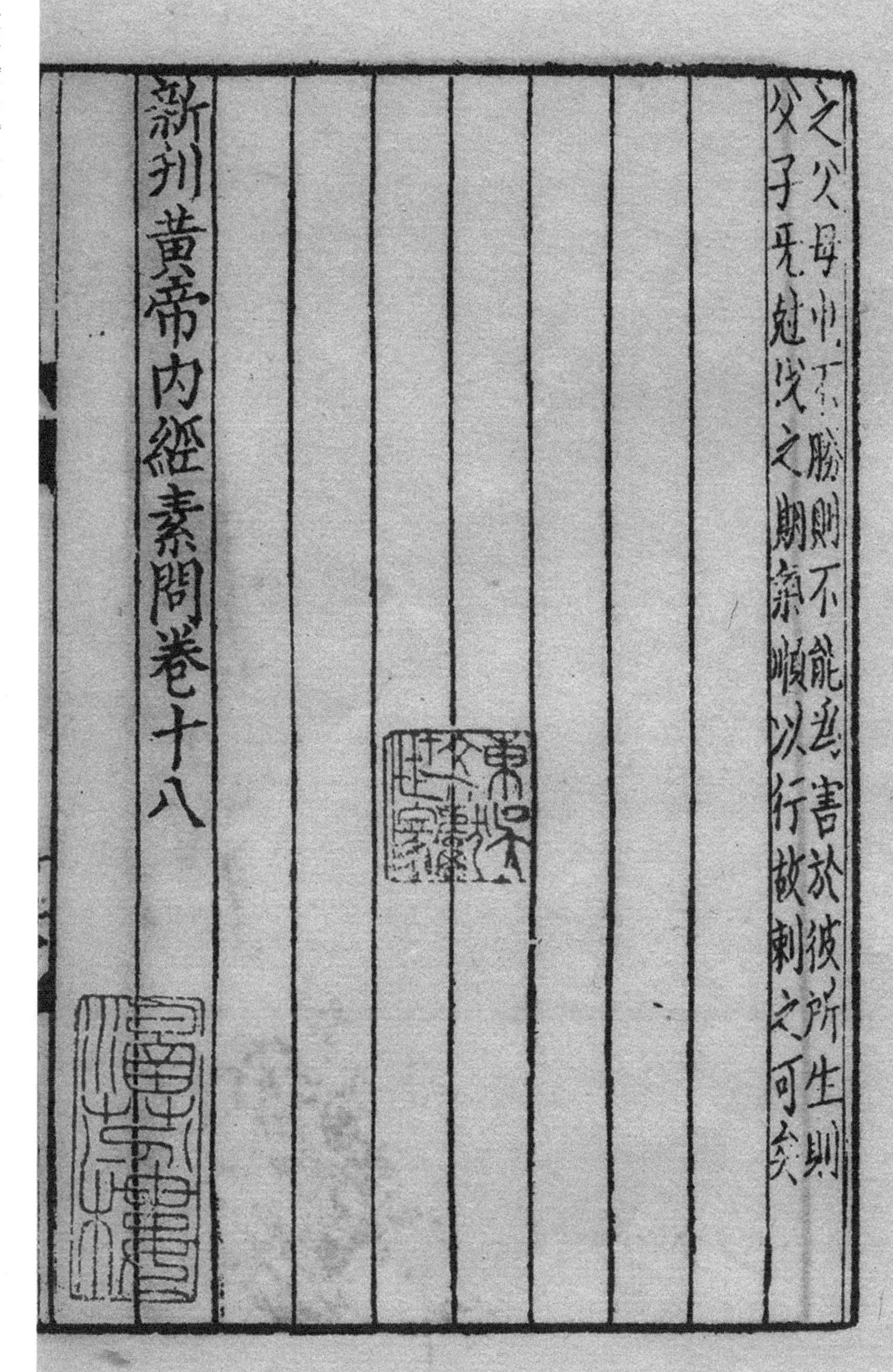

之父母也不勝則不能為害於彼所生則父子无尅伐之期氣順以行故刺之可矣

新刊黃帝內經素問卷十八

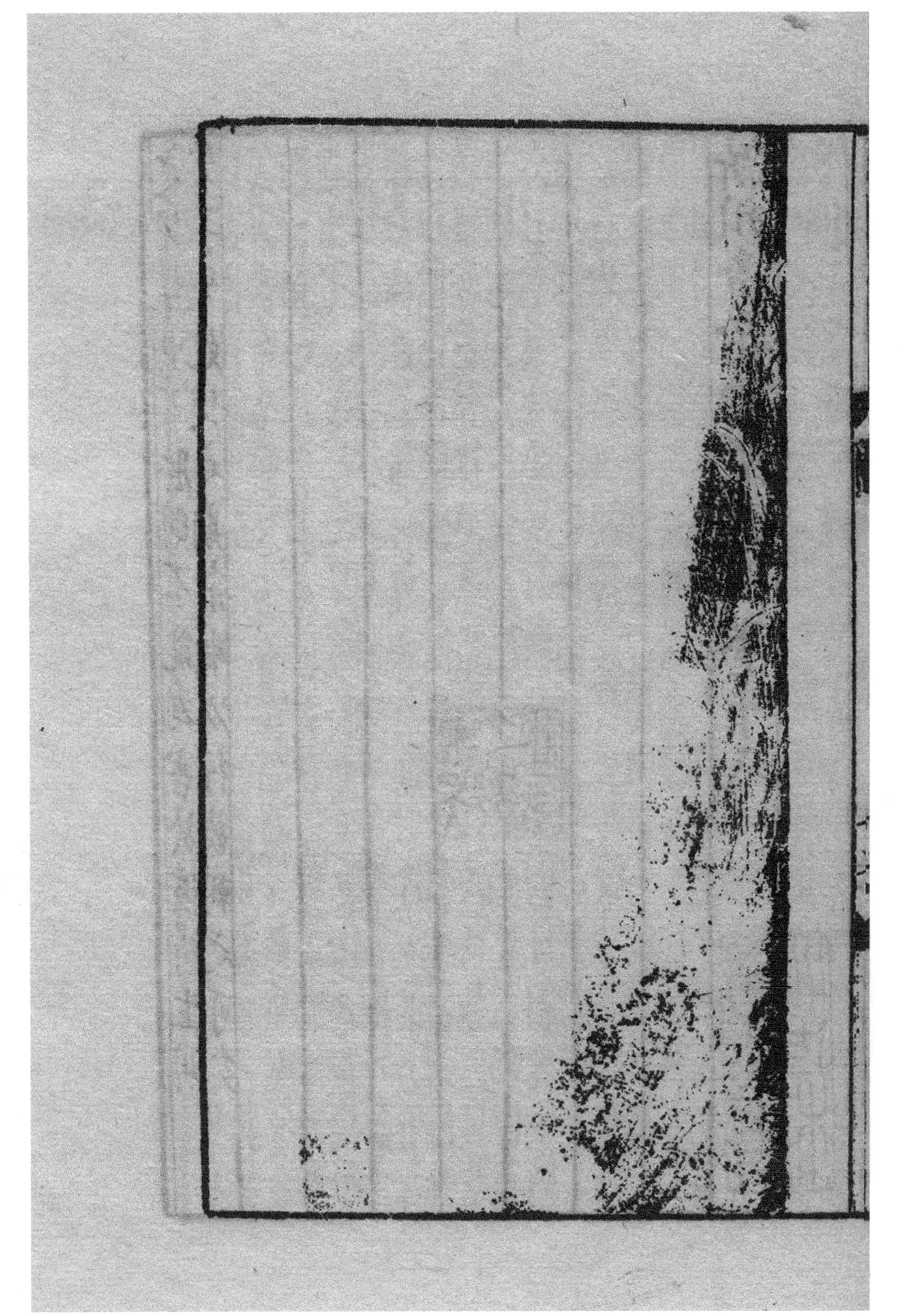

新刊黄帝内經素問卷十九

啓玄子次註林億孫奇高保衡等奉敕校正孫兆重改誤

天元紀大論　五運行大論

六微旨大論

○天元紀大論篇第六十六

黄帝問曰天有五行御五位以生寒暑燥濕風人有五藏化五氣以生喜怒思憂恐御謂臨御化謂生化也天真之氣无所不周器象雖殊參應一也○新校正云按陰陽應象大論云喜怒悲憂恐二論不同者思者脾也四藏皆受成焉悲者勝怒也二論所以互相成也論言五運相襲而皆治之終朞之日周而復始余已知之

矣願聞其與三陰三陽之候柰何合之論謂六節藏象論也運謂五行應天之五運各周三百六十五日而爲紀者也故曰終朞之日周而復始也以六合五數未參同故問之也鬼臾區稽首再拜對曰昭乎哉問也夫五運陰陽者天地之道也萬物之綱紀變化之父母生殺之本始神明之府也可不通乎道謂化生之道綱紀謂生長化成收藏之綱紀也父母謂万物形之先也本始謂生殺皆因而有之也夫有形稟氣而不爲五運陰陽之所攝者未之有也所以造化不極能爲万物生化之元始者何也以其是神明之府故也然合散不測生化無窮非神明運爲無能尔也○新校正云詳陰陽者至神明之府也与陰陽應象大論同而兩論之註頗異耳故物生謂之化物極謂之變陰陽不測謂之神神用無

方謂之聖
所謂化變聖神之道也化施化也變散易也神无期也聖无思也氣之施化故曰生氣之散易故曰極无期稟候故曰神无思測量故曰聖由化与變故万物无能逃五運陰陽由聖与神故衆妙无能出幽玄之理深乎妙用不可得而稱之○新校正云按六微旨大論云物之生從於化物之極由乎變變化之相薄成敗之所由也又五常政大論云氣始而生化氣散而有形氣布而蕃育氣終而象變其致一也

夫變化之爲用也
應万化之用也

在天爲玄
玄遠也天道玄遠變化无窮傳曰天道遠人道迩

在人爲道
道謂妙用之道也經術政化非道不成

在地爲化
化謂生化也生万物者地非土氣孕育則形質不成

化生五味
金石草木根葉華實酸苦甘淡辛鹹皆化氣所生隨時而有

道生智
智通妙用惟道所生

玄生神
玄遠幽深故生神也神之爲用觸遇玄通契物化成无不應也

神在

天爲風風者教之始天之使也天之號令也在地爲木東方之化在天
爲熱應火爲用在地爲火南方之化在天爲濕應土爲用在地
爲土中央之化在天爲燥應金爲用在地爲金西方之化在天
爲寒應水爲用在地爲水北方之化神之爲用如上五化木爲風所生火爲熱
所熾金爲燥所發水爲寒所資土爲濕所全蓋初因而成立也雖初因之以化成卒因之以敗
散尔豈五行之獨有是哉凡因所因而成立者悉因所因而散落尔○新校正云詳在天爲玄
至此与陰陽應象大論及五運行大論文重注頗異故在天爲氣在地成
形氣謂風熱濕燥寒形謂木火土金水形氣相感而化生萬物矣
此造化生成之大紀然天地者萬物之上下也天覆地載上下相臨
万物化生無遺略也由是故万物自生自長自化自成自盈自虚自復自變也夫變者何謂生

之氣極本而更始化也孔子曰曲成万物而不遺左右者陰陽之道路也天有六氣御下地有五行奉上當歲者為上主司天承歲者為下主司地不當歲者二氣居右北行轉之二氣居左南行轉之金木水火運北面正之常左為右右為左則左者南行右者北行而反也○新校正云詳上下左右之說義具五運行大論中水火者陰陽之徵兆也徵信也驗也兆先也以水火之寒熱彰信陰陽之先兆也金木者生成之終始也木主發生應春春為生化之始金主收斂應秋秋為成實之終終始不息其化常行故万物生長化成收藏自久○新校正云按陰陽應象大論曰天地者万物之上下也陰陽者血氣之男女左右者陰陽之道路水火者陰陽之徵兆陰陽者万物之能始也与此論相出入也氣有多少形有盛衰上下相召而損益彰矣氣有多少謂天之陰陽三等多少不同秩也形有盛衰謂五運之氣有大

過不及也由是少多盛衰天地相召而陰陽損益昭然彰著可見也○新校正云詳陰陽三等之義具下文注中帝曰願聞五運之主時也何如時謂時也鬼臾區曰五氣運行各終朞日非獨主時也一運之日終三百六十五日四分度之一乃易之非主一時當其王相囚死而爲絶法也氣交之内迢然而別有之也帝曰請聞其所謂也鬼臾區曰臣積考太始天元册文曰天元册所以記天真元氣運行之紀也自神農之世鬼臾區十世祖始誦而行之此太古占候靈文洎乎伏羲之時已鐫諸王版命曰册文太古靈文故命曰太始天元册也○新校正云詳今世有天元玉册或者以謂即此太始天元册文非是鐫子泉切太虛寥廓肇基化元太虛謂空玄之境真氣之所充神明之宮府也真氣精微无遠不至故能爲生化之本始運氣之真元矣肇始也基本也萬物

資始五運終天五運謂木火土金水運也終天謂一歲三百六十五日四分度之一也終始更代周而復始也言五運更統於大虛四時隨部而遷復六氣分居而異主万物因之以化生非曰自然其誰能始故曰万物資始易曰大哉乾元万物資始乃統天雲行雨施品物流形孔子曰天何言哉四時行焉百物生焉此其義也

布氣真靈總統坤元大虛真氣無所不至也氣齊生有故禀氣含靈者抱真氣以生焉總統坤元言天元氣常司地氣化生之道也易曰至哉坤元万物資生乃順承天也

九星懸朗七曜周旋九星上古之時也上古世質人淳歸真返朴九星懸朗五運齊宣中古道德稍衰標星藏曜故計星之見者七焉九星謂天蓬天內天衝天輔天禽天心天任天柱天英此天蓋從標而爲始遁甲式法今猶用焉七曜謂日月五星今外蕃多以此曆爲舉動吉凶之信也周謂周天之度旋謂左循天度而行五星之行猶各有進退高下小大矣

曰陰曰陽

曰柔曰剛陰陽天道也柔剛地道也天以陽生陰長宗以柔化剛成也易曰立天之
道曰陰与陽立也之道曰柔与剛此之謂也幽顯既位寒暑弛張幽顯
既位言人神各得其序寒暑弛張言陰陽不失其宜也人神各守所居无相干紀陰陽不失其
序物得其宜天地之道且然人神之理亦猶也○新校正云按至真要大論云幽明何如岐伯
曰兩陰交盡故曰幽兩陽合明故曰明幽明之配寒暑之異也生生化化品物
咸章上生謂生之有情有識之類也下生謂生之无情无識之類也上化謂形容彰顯者也下
化謂蔽匿形容者也有情有識彰顯形容天氣主之无情无識蔽匿形質地氣主稟元靈氣之
所化育尔易曰天地絪縕万物化醇斯之謂歟臣斯十世此之謂也傳習
斯文至鬼史區十世于兹不敢失墜帝曰善何謂氣有多少形有
盛衰鬼史區曰陰陽之氣各有多少故曰三陰

三陽也由氣有多少故隨其升降分爲三別也○新校正云按至真要大論云陰陽之三也何謂岐伯曰氣有多少異用王冰云大陰爲正陰大陽爲正陽次少者爲少陰次少者爲少陽又次爲陽明又次爲厥陰形有盛衰謂五行之治各有大過不及也大過有餘也不及不足也氣至不足大過迎之氣至大過不足隨之天地之氣虧盈如此故云形有盛衰也故其始也有餘而往不足隨之不足而往有餘從之知迎知隨氣可與期言虧盈无常互有勝負亦始謂甲子歲也六微旨大論曰天氣始於甲地氣始於子子甲相合命曰歲立此之謂也則始甲子之歲三百六十五日所稟之氣當不足也次而推之終六甲也故有餘已則不足不足已則有餘亦有歲運非有餘非不足者蓋以同天地之化也若餘已後餘少已後少則天地之道變常而災害作苛疾生矣○新校正云按六微旨大論云木運臨卯火運

臨午土運臨四季金運臨酉水運臨子所謂歲會氣之平也又按五常政大論云委和之紀上角與正角同上商與正商同上宮與正宮同伏明之紀上商與正商同卑監之紀上宮與正宮同上角與正角同從革之紀上商與正商同上角與正角同涸流之紀上宮與正宮同赫曦之紀上羽與正徵同堅成之紀上徵與正商同又六元正紀大論云不及而加同歲會已前諸歲並為正歲氣之平也今王注以同天之化為非有餘不足者非也

應天為天符承歲為歲直三合為治

應天謂木運之歲上見厥陰火運之歲上見少陽少陰土運之歲上見太陰金運之歲上見陽明水運之歲上見太陽此五者天氣下降如合符運故曰應天為天符也承歲謂木運之歲歲當亥卯火運之歲歲當寅午土運之歲歲當辰戌丑未金運之歲歲當巳酉水運之歲歲當申子此五者歲之所直故曰承歲為歲直也三合謂火運之歲上見少陰年辰臨午土運之歲上見太陰年辰臨丑未金運之歲上見陽明年辰

臨酉此三者天氣運氣與年辰俱會故云三合爲治也歲直亦曰歲位三合亦爲天符六微旨大論曰天符歲會曰太一天符謂天運與歲相會也○新校正云按天符歲會之詳具六微旨大論中又詳火運上少陰年辰臨午即戊午歲也土運上太陰年辰臨丑未即己丑己未歲也金運上陽明年辰臨酉即乙酉歲也帝曰上下相召柰何鬼臾區曰寒暑燥濕風火天之陰陽也三陰三陽上奉之太陽爲寒少陽爲暑陽明爲燥太陰爲濕厥陰爲風少陰爲火皆其元在天故曰天之陰陽也木火土金水火地之陰陽也生長化收藏下應之木初氣也火二氣也相火三氣也土四氣也金五氣也水終氣也以其在地應天故云下應也氣在地故曰地之陰陽也○新校正云按六微旨大論曰地理之應六節氣位何如岐伯曰顯明之右君火之位退行一步相火治之復行一步土氣治之復行一步金氣治之復

行一步水氣治之復行一步木氣治之
此即木火土金水火地之陰陽之義也天以陽
生陰長地以陽殺陰藏生長者天之道藏殺者
地之道天陽主生故以
陽生陰長地陰主殺故以陽殺陰藏天地雖高
下不同而各有陰陽之運用也○新校正云詳
此經与陰陽應象
大論文重注頗異天有陰陽地亦有陰陽天有
陰故
能下降地有陽故能上騰是以各有
陰陽也陰陽交泰故化變由之成也木火土金
水火地之陰陽也生長化收藏故陽中有陰
中有陽陰陽之氣極則過亢故各兼之陰陽應
象大論曰寒極生熱熱極生寒又曰重
陰必陽重陽必陰言氣極則變也故陽中兼陰
陰中兼陽易之卦離中虛坎中滿此其義象也
所以欲知天地之陰陽者應天之氣動而不息
故五歲而右遷應地之氣靜而守位故六朞而

環會天有六氣地有五位天以六氣臨地地以五位承天蓋以天氣不加君火故也以六加五則五歲而餘一氣故遷一位若以五承六則常六歲乃備盡天元之氣故六年而環會所謂周而復始也地氣左行往而不返天氣東轉常自火運數五歲已其次氣正當君火之上法不加臨則右遷君火氣上以臨相火之上故曰五歲而右遷也由斷動靜上下相臨而天地萬物之情變化之幾可見矣動靜相召上下相臨陰陽相錯而變由生也天地之道變化之徵其由是矣孔子謂曰以地設位而易行乎其中此之謂也○新校正云按五運行大論云上下相遘寒暑相臨氣相得則和不相得則病又云上者右行下者左行左右周天餘而復會帝曰上下周紀其有數乎鬼臾區曰天以六爲節地以五爲制周天氣者六朞爲一備終地紀者五歲爲一周六節謂六氣之分五制謂

五位之分位應一歲氣統一年故五歲爲一周六年爲一備備謂備歷天氣周謂周行地位所以地位六而言五者天氣不臨君火故也君火以明相火以位君火在相火之右但立名於君位不立歲氣故天之以氣不偶其氣以行君火之正守位而奉天之命以宣行火令尓以名奉天故曰君火以名守位禀命故云相火以位五六相合而七百二十氣爲一紀凡三十歲千四百四十氣凡六十歲而爲一周不及太過斯皆見矣歷法一氣十五日因而乘之積七百二十氣即三十年積千四百四十氣即六十年也經云有餘而往不足隨之不足而往有餘從之故六十年中不及太過斯皆見矣○新校正云按六節藏象論云五日謂之候三候謂之氣六氣謂之時四時謂之歲而各從其主治焉五運相襲而皆治之終朞之日周而復始時立氣布如環無端候亦同法故曰不知年之所加氣之盛衰虛實之所起

不可爲工矣帝曰夫子之言上終天氣下畢地紀可謂悉矣余願聞而藏之上以治民下以治身使百姓昭著上下和親德澤下流子孫無憂傳之後世無有終時可得聞乎安不忘危存不忘亡大聖之至教也求民之瘼恤民之隱大聖之深仁也鬼臾區曰至數之機迫迮以微其來可見其往可追敬之者昌慢之者亡無道行私必得天殃謂傳非其人受於情狹及寄求名利者也謹奉天道請言眞要申誓戒於君主乃明言天道至眞之要旨也帝曰善言始者必會於終善言近者必知其遠數術明著應用不差故遠近於言始終無謬是則至數極而道不惑所謂明矣

顯夫子推而次之令有條理簡而不匱久而不絕易用難忘爲之綱紀至數之要願盡聞之簡省要也匱之也久遠也要樞紐也鬼臾區曰昭乎哉問明乎哉道如鼓之應桴響之應聲也桴鼓椎也響應聲也臣聞之甲巳之歲土運統之乙庚之歲金運統之丙辛之歲水運統之丁壬之歲木運統之戊癸之歲火運統之六始天地初分之時陰陽析位之際天分五氣地列五行五行定位布政於四方五氣分流散支於十干當是黃氣橫於甲己白氣橫於乙庚黑氣橫於丙辛青氣橫於丁壬赤氣橫於戊癸故甲己應土運乙庚應金運丙辛應水運丁壬應木運戊癸應火運大古聖人望氣以書天冊賢者謹奉以紀天元下論文義備矣○新校正云詳運有太過不及平氣甲字

丙壬戊辛太過乙辛丁癸己主不及六法如此取平氣之法其說不一其如諸篇帝曰其於三陰三陽合之奈何鬼臾區曰子午之歲上見少陰丑未之歲上見太陰寅申之歲上見少陽卯酉之歲上見陽明辰戌之歲上見太陽巳亥之歲上見厥陰少陰所謂標也厥陰所謂終也標謂上首也終謂當三甲六甲之終新校正云詳午未申酉戌亥之歲爲正化正司化令之實子丑寅卯辰巳之歲爲對化對司化令之虛此其大法也厥陰之上風氣主之少陰之上熱氣主之太陰之上濕氣主之少陽之上相火主之陽明之上燥氣主之太陽之上寒氣主之所謂本也是謂六元三陰三陽

爲標寒暑燥溼風火爲本故云所謂本也天眞元氣分爲六化以統坤元生成之用徵其應用則六化不同本其所生則正是眞元之一氣故曰六元也○新校正云按別本六元作天元

帝曰：光乎哉道，明乎哉論，請著之玉版，藏之金匱，署曰天元紀。

○五運行大論篇第六十七

黃帝坐明堂，始正天綱，臨觀八極，考建五常，明堂布政宮也八極八方目極之所也考謂考校建謂建立也五常謂五氣行天地之中者也端居正氣以候天和 請天師而問之曰：論言天地之動靜，神明爲之紀，陰陽之升降，寒暑彰其兆。新校正云詳論謂陰陽應象大論及氣交變大論文彼云陰陽之往復寒暑彰其兆 余聞五運之數於夫子夫子之所言正五氣之各主歲耳首甲定運余因論之鬼臾區曰土主甲巳金主乙庚水主丙辛木主丁壬火主戊癸子午之上少陰主之丑未之上太陰主之寅申之上少陽主之卯酉之上陽明主之辰戌之上太陽主之巳亥之上厥陰主之不合陰陽其故何也首甲謂六甲之初則甲子年也岐伯曰是明道也此天地之陰陽也上古聖人仰觀天象以正陰陽夫陰陽之道非不昭然而人昧宗元迷其本始則百端疑議從是而生黃帝恐至理真宗便因誣廢慈念黎庶故啓問曰天師知道出從真必非謬述故對上曰是明道也此天地之陰陽也陰陽法曰甲巳合乙庚合丙辛合丁壬合戊癸合蓋取聖人仰觀天象之

義不然則十干之位各在一方徵其離合事亦寥闊嗚呼遠哉百姓日用而不知爾故太上立言曰吾言甚易知甚易行天下莫能知莫能行此其類也○新校正云詳金主乙庚者乙者之柔庚者乙之剛大而言之陰與陽小而言之夫與婦是則柔之事也餘並如此夫數之可數者人中之陰陽也然所合數之可得者也夫陰陽者數之可十推之可百數之可千推之可萬天地陰陽者不以數推以象之謂也言智識褊淺不見源由雖所指彌遠其知彌近得其元始桴鼓非遥帝曰願聞其所始也岐伯曰昭乎哉問也臣覽太始天元冊文丹天之氣經于牛女戊分黅天之氣經于心尾己分蒼天之氣經于危室柳鬼素天之氣經于

亢氐昴畢玄天之氣經于張翼婁胃所謂戊己分者奎壁角軫則天地之門戶也戊土屬乾己土屬巽遁甲經曰六戊爲天門六己爲地戶晨暮占雨以西北東南義取此雨爲土用濕氣屬之故此占焉夫候之所始道之所生不可不通也帝曰善論言天地者萬物之上下左右者陰陽之道路未知其所謂也論謂天元紀及陰陽應象論也岐伯曰所謂上下者歲上下見陰陽之所在也左右者諸上見厥陰左少陰右太陽見少陰左太陰右厥陰見大陰左少陽右少陰見少陽左陽明右太陰見陽明左太陽右少陽見太陽左厥陰右陽明所謂

面北而命其位言其見也面向北而言之也上南也下北也左西也右東也帝曰何謂下歧伯曰厥陰在上則少陽在下左陽明右大陰少陰在上則陽明在下左大陽右少陽大陰在上則大陽在下左厥陰右陽明少陽在上則厥陰在下左少陰右大陽陽明在上則少陰在下左大陰右厥陰大陽在上則大陰在下左少陽右少陰所謂面南而命其位言其見也主歲者位在南故面北而言其左右在下者位在北故面南而言其左右也上天位也下地位也面南左東也右西也上下異而左右殊也上下相遘寒暑相臨氣相得則和不相得則病木火相臨金火相臨水木

相臨火土相臨土金相臨爲相得也木土相臨土水相臨水火相臨火金相臨金木相臨爲不相得也上臨下爲順下臨上爲逆亦鬱抑而病生土臨相火君火之類者也帝曰氣相得而病者何也岐伯曰以下臨上不當位也六位相臨假令土臨火火臨木木臨水水臨金金臨土皆爲以下臨上不當位也父子之義子爲下父爲上以子臨父不亦逆乎帝曰動靜何如言天地之行左右也岐伯曰上者右行下者左行左右周天餘而復會也上天也下地也周天謂天周地五行之位也天垂六氣地布五行天順地而左回地承天而東轉木運之後天氣常餘餘氣不加於君火卻退一步加臨相火之上是以每五歲已退一位而右遷故曰左右周天餘而復會會遇也合也言天地之道常五歲畢則以餘氣遷加復與五行之座位再相會合而爲歲法也周天謂天周地位非周天之六氣也帝曰余聞

鬼臾區曰應地者靜今夫子乃言下者左行不知其所謂也願聞何以生之乎詰異也新校正云按鬼臾區言應地者靜見天元紀大論中岐伯曰天地動靜五行遷復雖鬼臾區其上候而已猶不能徧明不能徧明無求備也夫變化之用天垂象地成形七曜緯虛五行麗地地者所以載生成之形類也虛者所以列應天之精氣也形精之動猶根本之與枝葉也仰觀其象雖遠可知也觀五星之東轉則地體左行之理昭然可知也麗著也有形之物未有不依據物而得全者也帝曰地之爲下否乎言轉不爲爲下乎爲否乎岐伯曰地爲人之下大虛之中者也言人之所

居可謂下矣徵其至理則是大虛之中一物爾易曰坤厚載物德合無疆此之謂也帝曰馮乎言大虛無礙地沐何馮而止住馮扶冰切礙音艾岐伯曰大氣舉之也大氣謂造化之氣任持太虛者也所以太虛不屈地久天長者蓋由造化之氣任持之也氣化而變不任持之則太虛之器亦敗壞矣夫落葉飛空不疾而下為其乘氣故勢不得速焉凡之有形處地之上者皆有生化之氣任持之也然器有大小不同壞有遲速之異及至氣不任持則大小之壞一也燥以乾之暑以蒸之風以動之濕以潤之寒以堅之火以溫之故風寒在下燥熱在上濕氣在中火遊行其間寒暑六入故令虛而生化也地體之中凡有六入一曰燥二曰暑三曰風四曰濕五曰寒六曰火受燥故乾性生焉受暑故蒸性生焉受風故動性生焉受濕故潤性生焉受寒故堅性生焉受

（火故溫性生焉此謂天之六氣也）故燥勝則地乾暑勝則地熱風勝則地動濕勝則地泥寒勝則地裂火勝則地固矣（六氣之用）帝曰天地之氣何以候之岐伯曰天地之氣勝復之作不形於診也（言平氣及勝復皆以形證觀察不以診知也）脉法曰天地之變無以脉診此之謂也（天地以氣不以位故不當以脉知之）帝曰間氣何如岐伯曰隨氣所在期於左右（於左右尺寸四部分位承之以知應與不應過與不過也）帝曰期之奈何岐伯曰從其氣則和違其氣則病（謂當沉不沉當浮不浮當濇不濇當鉤不鉤當弦不弦當大不大之類也○新校正云按至真要大論云厥陰之至其脉弦少陰之至其脉鈎太陰之至其脉沉少陽之至大而浮陽明

之至短而濇，太陽之至大而長。至而和則平，至而甚則病，至而反則病，至而不至者病，未至而至者病，陰陽易者危。不當其位者病，見於他位也。迭移其位者病，謂左見右脈，右見左脈，氣差錯故亦病。失守其位者危，已見於他鄉，本宮見賊殺之氣，故病危。尺寸反者死，子午卯酉四歲有之。反謂歲當陰在寸，脈而反見於尺；歲當陽在尺，而脈反見於寸。尺寸俱乃謂反也。若尺獨然，或寸獨然，是不應氣，非反也。陰陽交者死。寅申巳亥丑未辰戌八年有之。交謂歲當陰在右，脈反見左；歲當陽在左，脈反見右。左右交見，是謂交。若左獨然，或右獨然，是不應氣，非交也。先立其年，以知其氣，左右應見，然後乃可以言死生之逆順。經言歲氣備矣。○新校正云：詳此備六元正紀大論中。帝曰：寒暑燥濕風火，在人合之柰何？其於萬物何以生化？合謂中外

相應生謂承化而生化謂成立衆象也

岐伯曰：東方生風，東者日之初風者教之始天之使也所以發號施令故生自東方也景霽山昏蒼埃際合崖谷若一巖岫之風也黃白昏埃晚空如堵獨見天垂川澤之風也加以黃黑白埃承下山澤之猛風也

風生木，陽升風鼓草木敷榮故曰風生大也此和氣之生化也若風氣施化則飄揚虆拆其爲變極則木拔草除也運乘丁卯丁丑丁亥丁酉丁未丁巳之歲則風化不足若乘壬申壬午壬辰壬寅壬子壬戌之歲則風化有餘於萬物也○新校正云詳王注以丁壬分運之有餘不足或者以丁卯丁亥丁巳壬申壬寅五歲爲天符同天符正歲會非有餘不足爲平木運以王注爲非是不知大統也必欲細分維除此五歲亦未爲忍下文以土金求遲等並同此

木生酸，萬物味酸者皆始自木氣之生化也

酸生肝，酸味入胃生養於肝藏

肝生筋，酸味入肝自肝藏布化生於筋膜也

筋生心，酸氣榮養筋膜畢已自筋流化

乃入於心其在天爲玄玄謂玄冥也丑之終東方白寅之初天色反黑太虛皆闇在天爲玄象可見○新校正云詳在天爲玄至化生氣七句通言六氣五行生化之大法非東方獨有之也而王注玄謂丑之終寅之初天色黑則專言在東方不兼諸方此注未通在人爲道正理之道生養之謂化也在地爲化化生化也育生化而後有萬物万物无非化氣以生成者化生五味金玉土石草木菜果根莖枝葉花萼實核無識之類皆由化生也道生智智正知也慮遠也知正則不疑於事慮遠則不涉於危以道動之理符於智靈樞經曰因慮而處物謂之智玄生神神用無方深微莫測迹見形隱物鮮能期由是則玄冥之中神明棲據隱而不見玄生神明也化生氣飛走蚑行鱗介毛倮羽五類變化內屬神機雖爲五味所該然其生稟則異故又曰化生氣也此上七句通言六氣五行生化之大法非獨東方有之也○新校正云按陰陽應象大論及天元紀大論無化

生氣一句圍音畫神在天爲風鳴紊啓拆風之化也振拉摧拔風之用也歲屬
厥陰在上則風化於天厥陰在下則風行於地在地爲木長短曲直木之躰也蘇來
幾發木之用也在體爲筋維結束絡筋之体也繻縱卷舒筋之用也在氣爲
柔木化宣發風化所行則物躰柔耎在藏爲肝肝有二布葉一小葉如木甲拆
之象也各有支絡脉遊中以宣發陽和之氣䰟之宮也爲將軍之官謀慮出焉乘丁歲則所藏
及經絡見受邪而爲病也膽府同其性爲暄暄溫也肝木之性也其德爲
和敷布和氣於万物木之德也○新校正云按氣交變大論云其德敷和其用爲
動風搖而動無風則萬類皆靜○新校正云按木之用爲動火太過之政亦爲動盖木火之
主暴速故俱爲動其色爲蒼有形之類乘木之化則外色皆見薄青之色今東方
之地草木之上色皆蒼遇丁歲則蒼物兼白及黃色不純也其化爲榮榮美色也

四時之中物見華榮顏色鮮麗若皆不化之所生也○新校正云按氣交變大論云其化生榮其蟲毛萬物發生如毛在皮其政為散發散生氣於萬物○新校正云按氣交變大論云其政舒啓詳木之政散平木之政發散木大過之政散土不及之氣散金之用散落木之災散落所以為散之異有六而散之義惟二一謂發散之散是木之氣也二謂散落之散是金之氣所為也其令宣發陽和之氣舒而散也其變摧拉摧拔成者也○新校正云按氣交變大論云其變振發其眚為隕隕墜也大風暴起草泯木墜○新校正云按氣交變大論云其災散落眚所景切其味為酸夫物之化之變而有酸味者皆木氣之所成敗也今東方之野生味多酸其志為怒怒直言也怒所以威物怒傷肝凡物之用極皆自傷也怒發於肝而反傷肝藏也悲勝怒悲發而怒止勝之信也○新校正云詳五志悲當為憂蓋憂傷意悲傷魂故云悲勝怒也風傷

肝亦猶風之折木也風生於木而反折之用整而衰○新校正云按陰陽應象大論云風傷筋**燥勝風**風自木生燥爲金化風餘則制之以燥肝盛則治之以涼涼清所行金之氣也**酸傷筋**酸寫肝氣寫甚則傷其氣靈樞經曰酸走筋筋病無多食酸以此尒走筋謂宣行其氣速疾也氣血肉骨同○新校正云詳注云靈樞經云乃是素問宣明五氣篇文按甲乙經云以此爲素問王注云靈樞經者誤**辛勝酸**辛金味故勝木之酸酸濟散勝之以辛也**南方生熱**陽盛所生相火君火之政也大熱虛昏翳其若輕塵山川悉然熱之氣也大明不彰其色如丹鬱熱之氣也若雲暴升嵸然葉積下霧飛緇崖谷之熱也形**熱生火**熱甚之氣火運盛明故曰熱生火火者盛陽之生化也熱氣施化則炎暑鬱燠其爲變極則燔灼消融逆來癸酉癸未癸巳癸卯癸丑癸亥歲則熱化不足若乘戊辰戊寅戊子戊戌戊申戊午歲則熱化有餘火有君火相火故曰熱生火又云火也**火生苦**物之

味苦者皆始自火之生化也甘物遇火體焦則苦苦從火化其可徵也苦生心苦物
入胃化入於心故諸癸歲則苦化少諸戊歲則苦化多心生血苦味自心化已則布
化生血脈血生脾苦味營血已自血流化生養脾也其在天爲熱亦神
化氣也暄暑鬱蒸熱之化也炎赫沸騰熱之用也歲爲少陰少陽在上則熱化於天在下則熱
行於地也在地爲火光顯炳明火之體也燔焫焦然火之用也在體爲脈
流行血氣脈之躰也壅泄虛實脈之用也絡脈同在氣爲息息長也在藏
爲心心形如未敷蓮花中有九空以導引天眞之氣神之宇也爲君主之官神明出焉乘
癸歲則心與經絡受邪而爲病小腸府亦然其性爲暑暑熱也心之氣性也
其德爲顯明顯見象定而可取火之德也○新校正云詳氣交變大論云其德彰顯
其用爲躁火性躁動不專定也其色爲赤生化之物乘火化者悉表備赬

丹之色也今南方之地草木之上皆兼赤色乘癸歲則赤色之物兼黑及白也其化為
茂茂蕃盛也○新校正云按氣交變大論云其化蕃茂其蟲羽參差長短象火之形
其政為明明曜彰見無所蔽匿火之政也○新校正云按氣交變大論云其政明曜
又按火之政明水之氣明水火異而明同者火之明明于外水之明明于內明雖同而實異也
其令鬱蒸鬱盛也蒸熱也言盛熱氣如蒸也○新校正云詳注謂鬱為盛其義未安
按王冰注五常政大論云鬱謂鬱燠不舒暢也當如此解也其變炎爍熱甚炎赫
爍石流金火之極變也○新校正云按氣交變大論云其變銷爍其眚燔焫燔焫
山川旋及屋宇火之災也○新校正云按氣交變大論云其災燔焫眚所景反其味為
苦物之化之變而有苦味者皆火氣之所合散也令南方之野生物多苦其志為
喜喜悅樂也悅以和志喜傷心言其過也喜發於心而反傷心亦由風之折木也過

則氣竭故見傷也**恐勝喜**恐至則喜樂皆泯勝喜之理目擊道存恐則水之氣也

熱傷氣大熱則氣伏不見人熱則氣促喘急熱之傷氣理亦可徵此皆謂大熱也小熱

之氣猶生諸氣也陰陽應象大論云壯火散氣少火生氣此其義也**寒勝熱**寒勝

則熱退陰盛則陽衰制熱以寒是求勝也**苦傷氣**大凡如此下苦之傷氣以其燥也苦

加以熱則傷尤甚也何以明之飲酒氣促多則喘急此其害也苦寒之物偏服歲久益火滋甚

亦傷氣也暫以方治乃同少火反生氣也○新校正云詳此論所傷之旨有三東方曰風傷筋

酸傷筋中央曰濕傷肉甘傷脾西方曰辛傷皮毛是自傷者也南方曰熱傷氣苦傷氣北方曰

寒傷血鹹傷血是傷己所勝也西方曰熱傷皮毛是被勝傷已也凡此五方所傷之例有三若

大素則俱云自傷焉**鹹勝苦**酒得鹽而解物理昭然火苦之勝制以水鹹**中央**

生濕中央土也高山土濕泉出地中水源山隈雲生嵩谷則其象也夫性內蘊動而為用

則雨降雲騰中央生濕不遠信矣故歷溽起上潤溽暑於六月謂是也溽音辱**濕生土**
濕氣內蘊土体乃全濕則土生乾則土死死則庶類凋喪生則万物滋榮此濕氣之化尔濕氣
施化則土宅而雲騰雨降其為變極則驟注土崩也運乘己巳己卯己丑己亥己酉己未之歲
則濕化不足乘甲子甲戌甲申甲午甲辰甲寅之歲則濕化有餘也**土生甘**物之味甘
者皆始自土之生化也**甘生脾**甘物入胃先入於脾故諸己歲則甘少化諸甲歲甘
多化**脾生肉**甘味入脾自脾藏布化長生脂肉**肉生肺**甘氣營肉已自肉流
化乃生養肺藏也**其在天為濕**言神化也柔潤重澤濕之化也埃鬱雲雨濕之
用也歲蜀太陰在上則濕化於天太陰在下則濕化於地**在地為土**敦靜安鎮聚散
復形群品以生土之体壯含垢居纖靜而下民為變化以土之德也○紵枝止云詩注云靜而
下民為土之德下民之養恐字濕也**在體為肉**惡果筋骨氣發其間肉之川也跡密

不時中外否閉內之動也**在氣為充**土氣施化則万象盈**在藏為脾**形象馬蹄內包胃脘象土形也經絡之氣交歸於中以營運真靈之氣意之舍也為倉廩之官化物出焉乘己歲則脾及經絡受邪而為病○新校正云詳肝心肺腎四藏注各言府同獨此注不言胃府同者闕文也**其性靜兼**兼謂兼寒熱暄涼之氣也白虎通曰脾之為言并也謂四氣并之也**其德為濡**津濕潤澤土之德也○新校正云按氣交變大論云其德溽蒸**其用為化**化謂兼諸四化并己為五化所謂風化熱化燥化寒化周五物而為生長化成收藏也**其色為黃**物乘土化則表見為黃之色令中央之地草木之上皆兼黃色乘己歲則黃色之物兼倉及黑黅音今**其化為盈**盈滿也土化所及則万物盈滿○新校正云按氣交變大論云其化豐備**其蟲倮**倮露皮革无毛介也**其政為謐**謐靜也土性安靜○新校正云按氣交變大論云其政安靜詳土之政謐水火

過其政謐者蓋水大過而土下承之故其政亦謐 其令雲雨 濕氣布化之所成 其變動注 動反靜也地之動則土失性風搖不安注雨久下也久則垣岸復為土塞○新校正云按氣交變大論云其變驟注 其眚淫潰 淫久雨也潰土崩潰也○新校正云按氣交變大論云其災霖潰 其味為甘 物之化之變而有甘味者皆土化之所終始也今中原之地故物味多甘淡 其志為思 思以成霧○新校正云按靈樞經曰因志而存變謂之思 思傷脾 思勞於智過則傷脾 怒勝思 怒則不思忿而忘禍則勝可知矣思其不解以怒制之調性之道也 濕傷肉 濕甚為水水盈則腫水下去已形肉已消傷肉之驗近可知矣 風勝濕 風木氣故勝土濕濕甚則制之以風 甘傷脾 過節也○新校正云按陰陽應象大論云甘傷肉 酸勝甘 甘餘則制之以酸所以救脾氣也 西方生燥 陽氣已降陰氣復升氣爽風勁故生燥也夫[illegible]谷青

岑川炅炎火燼淨草樹遠望氤氳此金氣所生
燥之化也夜起白朦輕如微霧遐邇一色星月
皎如此萬物陰成亦金氣所生白露之氣也大
虛埃昏氣鬱黃黑視不見遠無風自行從陰之
陽如雲如霧此殺氣也亦金氣所生霜之氣也
山谷川澤濁昏如霧氣鬱蓬勃慘然戚然咫尺
不分此殺氣將用亦金氣所生運之氣也大雨
大霖和氣西起雲卷陽曜大虛廓清燥生西方
義可微也若西風大起木偃雲騰是為燥与濕
爭氣不勝也故當復雨然西風雨晴天之常氣
假有東風雨止必有西風復雨因雨而廼自晴
觀是之為則氣有往復動有燥濕變化之象不
同其用矣亦此則天地之氣以和為
勝暴發奔驟氣所不勝則多為復也

燥生金

氣勁
風勁金鳴声遠燥生之信視聽可知此則燥化
能令萬物堅定也燥之施化於物如是其為變
極則天地悽慘肅殺氣行人悉畏之草木凋落
運乘乙丑乙卯乙巳乙未乙酉乙亥之歲則燥
化不足乘庚子庚寅庚辰庚午庚申庚
戌歲則燥化有餘歲氣不同生化異紀

金生辛

物之有辛味者皆始自金化之所成辛生肺辛物入胃先入於肺故諸乙歲則辛少化諸庚歲則辛多化肺生皮毛辛味入肺自肺藏布化生養皮毛也皮毛生腎辛氣自入皮毛乃流化生氣入腎藏也其在天為燥神化也霧露清勁燥之化也肅殺凋零燥之用也歲屬陽明在上則燥化於天陽明在下則燥行於地在地為金從革堅剛金之体也鋒刃銛利金之用也○新校正云按別本銛作括在體為皮毛柔韌包裹皮毛之体也滲泄津液皮毛之用也在氣為成物秉金化則堅成在藏為肺肺之形似人肩二布葉數小葉中有二十四空行列以分布諸藏清濁之氣主藏魄也為相傅之官治節出焉乘乙歲則肺與經絡受邪而為病也大腸府亦然其性為涼涼清也肺之性也其德為清金以清涼為德化○新校正云按氣交變大論云其德清潔其用為固固堅定也其色為白物秉

金氣則表彰縞素之色今西方之野草木之上色皆兼白乘乙歲則白色之物兼赤及蒼也

其化為斂斂收也金化流行則物體堅斂○新校正云按氣交變大論云其化緊斂

詳金之化為斂而太不及之金亦斂者盖木不及而金勝之皆斂也

其蟲介介甲也外被介甲金堅之象也

其政為勁勁前銳也○新校正云按氣交變大論云其政勁切

其令霧露凉氣化生

其變肅殺天地慘悽人所不喜則其氣也

其眚蒼落青乾而凋落

其味為辛夫物之化之變而有辛味者皆金氣之所離合也今西方之野草木多辛

其志為憂憂慮也思也○新校正云詳王注以憂為思有害於義按本論思為脾之志憂為肺之志是憂非思明矣又靈樞經曰愁憂則閉塞而不行又云愁憂而不解則傷意若是則憂者愁也非思也

憂傷肺愁憂則氣閉塞而不行肺藏氣故憂傷肺

喜勝憂神撓則上故喜勝憂

熱傷皮毛火有二別故此再舉

熱傷之形證也火氣薄爍則物焦甚故熱氣盛則皮毛傷

寒勝熱

以陰消陽故寒勝熱○新校正云按大素作燥傷皮毛熱勝燥

辛傷皮毛

過節也辛熱又甚焉

苦勝辛

苦火味故勝金之辛

北方生寒

陽氣伏陰氣升政布而大行故寒生也大虛澄淨黑氣浮空天色黯然高空之寒氣也若氣似散麻本末皆黑微見川澤之寒氣也大虛清白空猶雲映遐邇一色山谷之寒氣也大虛白昏火明不翳如霧雨氣遐邇肅然北望色玄凝霧夜落此水氣所生寒之化也大虛凝陰白埃昏翳天地一色遠視不分此寒濕凝結雪之將至也地裂水冰河渠乾涸枯澤淨鹹木斂土堅是土勝水水不得自清水所生寒之用也

寒生水

寒資陰化水所由生此寒氣之生行尒寒氣藏化則水冰雪霰其爲變極則水涸冰堅運乘丙寅丙子丙戌丙申丙午丙辰之歲則寒氣大行乘辛未辛巳辛卯辛丑辛亥辛酉之歲則寒化少

水生鹹

物之有鹹味者皆始自水化之所成結也水澤熱涸鹵鹹乃蕃

滷洿味鹹鹽從水化則鹹因水產其事炳然煎水味鹹近而可見鹹生腎鹹物入胃先歸於腎故諸丙歲鹹物多化諸辛歲鹹物少化腎生骨髓鹹味入腎自腎藏布化生養骨髓髓生肝鹹氣自生骨髓乃流化生氣入肝藏也其在天為寒神化也凝慘冰雪寒之化也凜冽霜雹寒之用也歲屬大陽在上則寒化於天大陽在下則寒行於地在地為水陰氣布化流於地中則為水泉澄澈流衍水之躰也漂蕩沒溺水之用也在體為骨強幹堅勁骨之躰也包裹髓腦骨之用也在氣為堅柔耎之物遇寒則堅寒之化也在藏為腎腎藏有二形如紅豆相並而曲附於膂筋外有脂裹裹白表黑主藏精也為作強之官伎巧出焉乘辛歲則腎藏及經絡受邪而為病膀胱府同其性為凜凜寒也腎之性也其德為寒水以寒為德化○新校正云按氣交變大論云其德淒滄其用為本闕其色為黑物稟水成

則表彼玄黑之色今北方之野草木之上色皆兼黑乘辛歲則黑色之物兼黃及赤其化爲肅肅靜也○新校正云按氣交變大論云其化清謐詳水之化爲肅而金之政大過者爲肅平金之政勁肅金之變肅殺者何也蓋水之化肅者靜也金之政肅者肅殺也文雖同而事異其蟲鱗鱗謂魚蛇之族類其政爲靜水性澄澈而清淨○新校正云按氣交變大論其政凝肅詳水之政爲靜而平土之政安靜土大過之政亦爲靜土不及之政亦爲靜定水土異而靜同若非同也水之靜清淨也土之靜變靜也其令本闕其變凝冽寒甚故致是○新校正云按氣交變大論云其變凜冽其眚冰雹非時而有及暴過也○新校正云按氣交變大論云其災冰雪霜雹其味爲鹹夫物之化之變而有鹹味者皆水化之所凝散也今北方川澤地多鹹鹵其志爲恐恐以遠禍恐傷腎恐其動中則傷腎靈樞經曰恐懼而不解則傷精腎藏精故精傷而傷及於腎

思勝恐思見禍機，故無憂恐。思，一作受，非也。寒傷血腎勝心也。寒甚血凝，故傷血也。燥勝寒寒化則水積，燥用則物堅，燥與寒兼，故相勝也。天地之化，物理之常也。鹹傷血味過於鹹，則咽乾引飲，傷血之義，斷可知乎。甘勝鹹渴飲甘泉潤乾自已。為土味，故勝水鹹。○新校正云：詳自岐伯曰至此，與陰陽應象大論同，小有增損，而上注頗異。五氣更立，各有所先當其歲時，氣乃先也。非其位則邪，當其位則正先立運，然後知非位與當位者也。帝曰：病之生變何如？岐伯曰：氣相得則微，不相得則甚木居火位，火居土位，土居金位，金居水位，水居木位，木居君位，如是者為相得。又木居水位，水居金位，金居土位，土居火位，火居木位，如是者雖為相得，終以子僭居父母之位，下陵上，猶為小逆也。木居金、土位，火居金、水位，土居水、木位，金居火、木位，水居火、土位，如是者為不相得，故病甚也。皆先立運氣及司天之氣則氣之所在相得與不相得可知矣帝曰主歲何如岐伯曰氣有餘則制己所勝而侮所不勝其不及則己所不勝侮而乘之己所勝輕而侮之木餘則制土輕忽於金以金氣不爭故木恃其餘而欺侮也又木少金勝土反侮木以木不及故土妄凌之也四氣卒同侮謂侮慢而凌忽之侮反受邪或以己強盛或遇彼衰微不度卑弱妄行凌忽雖侮而求勝故終必受邪侮而受邪寡於畏也受邪各謂受己所不勝之邪也然捨己宮觀適他鄉邦外強中乾邪勝真弱寡於敬畏由是納邪故曰寡於畏也○新校正云按六節藏象論云未至而至此謂太過則薄所不勝而乘所勝命曰氣淫至而不至此謂不及則所勝妄行而所生受病所不勝而薄之命曰氣迫即此之義也帝曰善

○六微旨大論篇第六十八

黄帝問曰：嗚呼遠哉天之道也，如迎浮雲，若視深淵，視深淵尚可測，迎浮雲莫知其極。深淵淨瀅而澄澈，故視之可測其深淺；浮雲飄泊而合散，故迎之莫詣其邊涯。言蒼天之象，如淵可視乎？鱗介運化之道，猶雲莫測其去留。六氣深微，其於運化，當如是喻矣。○新校正云：詳此文與疏五過論重。夫子數言謹奉天道，余聞而藏之，心私異之，不知其所謂也。願夫子溢志盡言其事，令終不滅，久而不絕，天之道可得聞乎？運化生成之道也。岐伯稽首再拜對曰：明乎哉問天之道也！此因天之序，盛衰之時也。帝曰：願聞天道六六之節盛衰何也六六之節經已啓問天師未敷其旨故重問之岐伯曰上下有位左右有紀上下謂司天地之氣二也餘左右四氣在歲之左右也故少陽之右陽明治之陽明之右大陽治之大陽之右厥陰治之厥陰之右少陰治之少陰之右大陰治之大陰之右少陽治之此所謂氣之標蓋南面而待之也標末也聖人南面而立以闕氣之至也故曰因天之序盛衰之時移光定位正立而待之此之謂也移光謂日移光定位謂面南觀氣正立觀歲數氣之至則氣可待之也少陽之上火氣治之中見厥陰少陽南方火故上見火氣治之與厥陰合故中見厥陰也陽明之上燥氣治之中見大陰陽明西方金故上燥氣治

之與太陰合故燥氣之下中見太陰也太陽之上寒氣治之中見少陰太陽北方水故上寒氣治之與少陰合故寒氣之下中見少陰也○新校正云按六元正紀大論云太陽所至為寒生中為溫與此義同厥陰之上風氣治之中見少陽厥陰東方木故上風氣治之與少陽合故風氣之下中見少陽也少陰之上熱氣治之中見太陽少陰東南方君火故上熱氣治之與太陽合故熱氣之下中見太陽也○新校正云按六元正紀大論云少陰所至為熱生中為寒與此義同太陰之上濕氣治之中見陽明太陰西南方土故上濕氣治之與陽明合故濕氣之下中見陽明也所謂本也本之下中之見也見之下氣之標也本謂元氣也氣則為主則文言著矣○新校正云詳注云文言著矣疑誤本標不同氣應異象本者應之元標者病之始

病生形用求之標方施其用求之本標本不同求之中見法萬全○新校正云按至真要大論云六氣標本不同氣有從本者有從標本者有不從標本者少陽太陰從本少陰太陽從標本者從標陽明厥陰不從標本從乎中故從本者化生於本從標本者有標本之化從中者以中氣為化

帝曰其有至而至有至而不至有至而太過何也皆謂天之六氣也初之氣起於立春前十五日餘二三四五終氣次至而分治六十日餘八十七刻半

岐伯曰至而至者和至而不至來氣不及也未至而至來氣有餘也當至而氣至和平之應此為平歲也假令甲子歲氣有餘於癸亥歲未當至之期先時而至也乙丑歲氣不足於甲子歲當至之期後時而至也故曰來氣不及來氣有餘也言初氣之至期如此歲氣有餘六氣之至皆先時歲氣不及六氣之至皆後時先時後至後時先至各差十三日而應也○新校正云按金匱要

晷云有未至而至有至而不至有至而不去有至而大過冬至之後得甲子夜半少陽起少陰之時陽始生天得溫和以未得甲子天因溫和此爲未至而至也以得甲子而天未溫和此爲至而不至以得甲子而天大寒不解此爲至而不去以得甲子而天溫如盛夏時此爲至而大過此亦論氣應之一端也帝曰至而不至未至而至何如言大過不及歲當至晚至早之時應也岐伯曰應則順否則逆逆則變生變生則病當期爲應愆時爲否天地之氣生化不息無止礙也不應有而有應有而不有是造化之氣失常失常則氣變變常則氣血紛擾而爲病也天地變而失常則萬物皆病帝曰善請言其應岐伯曰物生其應也氣脉其應也物之生榮有常時脉之至有常期有餘歲早不及歲晚皆依時至也帝曰善願聞地理之應六節氣位何如岐伯曰顯

明之右君火之位也君火之右退行一步相火治之日出謂之顯明則卯地氣分春也自春分後六十日有奇斗建卯正至于巳正君火位也自斗建巳正至未之中三之氣分相火治之所謂少陽也君火之位所謂少陰熱之分也天度至此暄淑大行居熱之分不行炎暑君之德也少陽居之為僭逆大熱早行疫癘嬈生陽明居之為溫涼不時大陽居之為寒雨間熱厥陰居之為風濕雨生羽蟲少陰居之為天下疵疫以其得位君令宣行故也大陰居之為時雨火有二位故以君火為六氣之始也相火則夏至日前後各三十日也少陽之分火之位矣天暵至此炎熱大行少陽居之為熱暴至草萎河乾炎亢濕化瞭芾陽明居之為涼氣閉發人隱居之為寒氣閉至熱爭冰雹厥陰居之為風熱大行雨生羽蟲少陰居之為大暑炎亢大陰居之為雲雨雷電退謂南面視之在位之右也一步凡六十日又八十七刻半餘氣同法復行一步土氣治之雨之分也即秋

分前六十日而有奇斗建未正至酉之中四之氣也天度至此雲雨大行濕蒸乃作少陽居之爲炎熱沸騰雲雨雷電陽明居之爲清雨霧露大陽居之爲寒雨害物厥陰居之爲悲風雨摧拉雨生果蟲少陰居之爲寒熱氣互用山澤浮雲暴雨滂溽大陰居之爲大雨霪霆靈音淫

復行一步金氣治之燥之分也即秋分後六十日而有奇自斗建酉正至亥之中五之氣也天度至此萬物皆燥少陽居之爲溫清使正萬物乃榮陽明居之爲大涼燥疾大陽居之爲早寒厥陰居之爲涼風大行雨生介蟲少陰居之爲秋濕熱病時行大陰居之爲時雨沈陰

復行一步水氣治之寒之分也即冬至日前後各三十日自斗建亥至丑之中六之氣也天度至此寒氣大行少陽居之爲冬溫蟄蟲不藏流水不冰陽明居之爲燥寒勁切大陽居之爲大寒凝冽厥陰居之爲寒風飄揚雨生鱗蟲少陰居之爲蟄蟲出見流水不冰大陰居之爲濕陰寒雪地氣濕也

復行一步木氣治之

風之分也即春分前六十日而有奇也自斗建丑正至卯之中初之氣也天度至此風氣乃行天地神明號令之始也天之使也少陽居之爲溫疫至陽明居之爲清風霧露矇昧大陽居之爲寒風切列霜雪水冰厥陰居之爲大風發榮雨生毛蟲少陰居之爲熱風傷人時氣流行大陰居之爲風雨凝陰不散

復行一步君火治之熱之分也復春分始也自斗建卯正至巳之中二之氣也凡此六位終統一年六六三百六十日六八四百八十刻六七四十二刻其餘半刻分而爲三約終三百六十五度也餘奇細分率之可也

相火之下水氣承之熱盛水承條蔓柔弱湊潤衍溢水象可見○新校正云按六元正紀大論云少陽所至爲火生終爲蒸溽則水承之義同混又云少陽所至爲摽風燔燎霜凝亦下承之水氣也

水位之下土氣承之寒甚物堅水冰流涸土象斯見承下明矣○新校正云按六元正紀大論云大陽所至爲寒雪冰雹白埃則土氣承之之義也

土位之下風氣承之疾風之後時雨乃零是則濕爲風吹化而爲雨○新校正云按六元正紀大論云太陰所至爲濕生終爲注雨則土位之下風氣承之而爲雨也又云太陰所至爲雷霆驟注烈風則風承之義也風位之下金氣承之風動氣清萬物皆燥金承木下其象昭然○新校正云按六元正紀大論云厥陰所至爲風生終爲肅則金承之義可見又云厥陰所至爲飄怒大涼亦金承之義金位之下火氣承之鑠金生熱則火流金乘火之上理無妄也○新校正云按六元正紀大論云陽明所至爲散落溫則火乘之義也君火之下陰精承之君火之位大熱不行蓋爲陰精制承其下也諸以所勝之氣乘於下者皆折其標盛此天地造化之大体爾○新校正云按六元正紀大論云少陰所至爲熱生中爲寒則陰承之義可知又云少陰所至爲大暄寒亦其義也又按六元正紀云水發而雹雪土發而飄驟木發而毁折金發而清明火發而曛

昧何氣使然曰氣有多少發有微甚微者當其氣甚者兼其下徵其下氣而見可知也所謂徵其下者即此六承氣也帝曰何也岐伯曰亢則害承迺制制生則化外列盛衰害則敗亂生化大病亢過極也物惡其極帝曰盛衰何如岐伯曰非其位則邪當其位則正邪則變甚正則微帝曰何謂當位岐伯曰木運臨卯火運臨午土運臨四季金運臨酉水運臨子所謂歲會氣之平也非太過非不及是謂平運主歲也平歲之氣物生脉應皆必合期無先後也。新校正云詳木運臨卯丁卯歲也火運臨午戊午歲也上運臨四季甲辰甲戌己丑己未歲也金運臨酉乙酉歲也水運臨子丙子歲也內戊午己丑己未乙酉又爲太一天符帝曰非位何如岐伯曰歲不與會也（不與本辰相逢會也）帝曰：土運之歲，上見大陰；火運之歲，上見少陽少陰（少陰少陽皆火氣）；金運之歲，上見陽明；木運之歲，上見厥陰；水運之歲，上見大陽，奈何？岐伯曰：天之與會也。（天氣與運氣相逢會也。○新校正云：詳土運之歲上見大陰己丑己未也，火運之歲上見少陽戊寅戊申也，上見少陰戊子戊午也，金運之歲上見陽明乙卯乙酉也，木運之歲上見厥陰丁巳丁亥也，水運之歲上見大陽丙辰丙戌也。內己酉己未戊午乙酉又為大一天符。按六元正紀大論云：大過而同天化者三，不及而同天化者亦三。戊子戊午大徵上臨少陰，戊寅戊申大徵上臨少陽，丙辰丙戌大羽上臨大陽，如是者三。丁巳丁亥少角上臨厥陰，乙卯乙酉少商上臨陽明，己丑己未少宮上臨大陰，如是者三。臨者大過不及皆曰天符也。）故天元冊曰天符。天符歲會何如岐伯曰大一天符之會也是謂三合一者天會二者歲會三者運會也天元紀大論曰三合爲治此之謂也○新校正云按大一天符之詳具天元紀大論注中帝曰其貴賤何如岐伯曰天符爲執法歲位爲行令大一天符爲貴人執法猶相輔行令猶方伯貴人猶君主帝曰邪之中也柰何岐伯曰中執法者其病速而危執法官人之繩準自爲邪僻故病速而危中行令者其病徐而持方伯無執法之權故無速害病但執持而已中貴人者其病暴而死義無凌犯故病則暴而死帝曰位之易也何如岐伯曰君位臣則順臣位君則逆逆則其病近其害速順則其病遠其害微所謂二火也相火居君火是臣位居君

位歧逆也君火居相火是君位居臣位君臨臣位故順也遠謂里遠近謂里近也帝曰善願聞其步何如歧伯曰所謂步者六十度而有奇奇謂八十七刻又十分刻之五也故二十四步積盈百刻而成日也此言天度之餘也夫言周天之度者三百六十五度四分度之一也二十四步正四歲也四分度之一二十五刻也四歲氣成積已盈百刻故成一日度一日也帝曰六氣應五行之變何如歧伯曰位有終始氣有初中上下不同求之亦異也位地位也氣天氣也氣與位互有差移故氣之初天用事氣之中地主之地主則氣流于地天用則氣騰于天初與中皆分天步而率刻爾初中各三十日餘四十三刻四分刻之三也帝曰求之柰何歧伯曰天氣始於甲地氣始於子子甲相合命曰

歲立謹候其時氣可與期子甲相合命曰歲立則甲子歲也謹候水刻早晏則六氣悉可與期爾帝曰願聞其歲六氣始終早晏何如岐伯曰明乎哉問也甲子之歲初之氣天數始於水下一刻常起於平明寅初一刻艮中之南也○新校正云按戊辰壬申丙子庚辰甲申戊子壬辰丙申庚子甲辰戊申壬子丙辰庚申歲同此所謂辰申子歲氣會同陰陽法以是爲三合終於八十七刻半子正之中夜之半也外十二刻半入二氣之初諸餘刻同入也二之氣始於八十七刻六分子中之左也終於七十五刻戌之後四刻也外二十五刻入次三氣之初率三之氣始於七十六刻亥初之一刻終於六十二刻半酉正之中也外三十七刻半差入後四之氣始於六十二刻六分

酉中之北終於五十刻未後之四刻也外列五十刻差入後五之氣始於五十一刻申初之一刻終於三十七刻半午正之中晝之半也外六十二刻半差入後六之氣始於三十七刻六分午中之南終於二十五刻辰正之後四刻外正十五刻差入後所謂初六天之數也天地之數二十四氣乃大會而同故命此曰初六天數也乙丑歲初之氣天數始於二十六刻巳初之一刻○新校正云按巳巳癸酉丁五辛巳乙酉己丑癸巳丁酉辛丑乙巳己酉癸丑丁巳辛酉歲同所謂巳酉丑歲氣會同也終於一十二刻半卯正之中二之氣始於一十二刻六分卯中之南終於木下百刻丑後之四刻三之氣始於一刻又寅初之一刻終於八十七刻半子正之中四之氣

始於八十七刻六分子中正東終於七十五刻戌後之四刻五之氣始於七十六刻亥初之一刻終於六十二刻半酉正之中六之氣始於六十二刻六分酉中之北終於五十刻未後之四刻所謂六二天之數也一六爲初六二六爲六二名次也丙寅歲初之氣天數始於五十一刻中初之一刻○新校正云按庚午甲戌戊寅壬午丙戌庚寅甲午戊戌壬寅丙午庚戌甲寅戊午壬戌歲同此所謂寅午戌歲氣會同終於三十七刻半午正之中二之氣始於三十七刻六分午中之西終於二十五刻辰後之四刻三之氣始於二十六刻巳初之一刻終於一十二刻半卯正之中四之氣始於一十二刻六分卯中

之南終於水下百刻丑後之四刻五之氣始於一刻寅初之一刻終於八十七刻半子正之中六之氣始於八十七刻六分子中之左終於七十五刻戌後之四刻所謂六三天之數也。丁卯歲初之氣天數始於七十六刻亥初之一刻○新校正云按辛未乙亥己卯癸未丁亥辛卯乙未己亥癸卯丁未辛亥乙卯己未癸亥歲同此所謂卯未亥歲氣會同終於六十二刻半酉正之中二之氣始於六十二刻六分酉中之北終於五十刻未後之四刻三之氣始於五十一刻申初之一刻終於三十七刻半午正之中四之氣始於三十七刻六分午中之西終於二十五刻辰後之四刻五之氣始於二十六刻（巳初之一刻）終於一十二刻半（卯正之中）六之氣始於一十二刻六分（卯中之南）終於水下百刻（丑後之四刻）所謂六四天之數也次戊辰歲初之氣復始於一刻常如是無已周而復始（始自甲子年終於癸亥歲常以四歲爲一小周一十五周爲一大周以辰命歲則氣可與期）帝曰願聞其歲候何如歧伯曰悉乎哉問也日行一周天氣始於一刻（甲子歲也）日行再周天氣始於二十六刻（乙丑歲也）日行三周天氣始於五十一刻（丙寅歲也）日行四周天氣始於七十六刻（丁卯歲也）日行五周天氣復始於一刻（戊辰歲也餘五十五歲循環周而復始也）所謂一紀也（法以四年爲一

紀循環下已餘三歲一會同故有三合也是故寅午戌歲氣會同卯未亥歲氣會同辰申子歲氣會同巳酉丑歲氣會同終而復始陰陽法以是爲三合者緣其氣會同也不爾則各在一方義无由合帝曰願聞其用也岐伯曰言天者求之本言地者求之位言人者求之氣交本謂天六氣寒暑燥濕風火也三陰三陽由是生化故云本所謂六元者也謂金木火土水君火也天地之氣上下相交人之所處也帝曰何謂氣交岐伯曰上下之位氣交之中人之居也自天之下地之上則二氣交合之分也人居地上故氣交之中人之居也是以化生變易皆在氣交之中故曰天樞之上天氣主之天樞之下地氣主之氣交之分人氣從之萬物由

之此之謂也大樞當齊之兩傍也所謂身半矣伸臂指天則天樞正當身之半也三分折之上分應天下分應地中分應氣交天地之氣交合之際所遇寒暑燥濕風火勝復之變之化故人氣從之萬物生化悉由而合散也帝曰何謂初中岐伯曰初凡三十度而有奇中氣同法奇謂三十日余四十三刻又四十分刻之三十也初中相合則六十日餘八十七刻半也以各餘四十分刻之三十故云中氣同法也帝曰初中何也岐伯曰所以分天地也以是知氣高下生人病主之也帝曰願卒聞之岐伯曰初者地氣也中者天氣也氣之初天用事天用事則地氣上騰於太虛之內氣之中地氣主之地氣主則天氣下降於有質之中帝曰其升降何如岐伯曰氣之升降天地之更用也升謂上升降謂下降升極則降降極則升

升降不已故彰天地之更用也帝曰願聞其用何如岐伯曰升已而降降者謂天降已而升升者謂地氣之初地氣升氣之中天氣降升已而降以下彰天氣之下流降已而升以上表地氣之上應天氣下降地氣上騰天地交合泰之象也易曰天地交泰是以天地之氣升降常以三十日半下上下上不已故萬物生化無有休息而各得其所也天氣下降氣流于地地氣上升氣騰于天故高下相召升降相因而變作矣氣有勝復故變生也○新校正云按六元正紀大論云天地之氣盈虛何如曰天氣不足地氣隨之地氣不足天氣從之運居其中而常先也惡所不勝歸所和同隨運歸從而生其病也故上勝則天氣降而下下勝則地氣遷而上多少而差其分微者小差甚者大差甚則位易氣交易則大變生而病作矣帝曰善寒濕相遘燥熱相臨風

火相值其有間乎岐伯曰氣有勝復勝復之作有德有化有用有變變則邪氣居之夫撫掌成聲沃火生沸物之交合象出其間萬類交合亦由是矣天地交合則八風鼓拆六氣交馳於其間故氣不能正者反成邪氣帝曰何謂邪乎邪者不正之目也天地勝復則寒暑燥濕風火六氣互為邪也岐伯曰夫物之生從於化物之極由乎變變化之相薄成敗之所由也夫氣之有生化也不見其形不知其情莫測其所起莫究其所止而萬物自生自化近成無極是謂天和見其象彰其動震烈剛暴飄泊驟卒拉堅摧殘摺拆鼓慄是謂邪氣故物之生也靜而化成其毀也躁而变革是以生從於化極由乎变变化不息則成敗之由常在生有涯分者言有終始尔○新校正云按天元紀大論云物生謂之化物極謂之變故氣有往復用有遲速四

者之有而化而變風之來也天地易位寒暑移方水火易處當動用時氣之遲速往復故不常在雖不可究識意端然微甚之用而為化為變風所由來也人氣不勝因而感之故病生焉風匪求勝於人也

帝曰：遲速往復，風所由生，而化而變，故因盛衰之變耳。成敗倚伏遊乎中何也？夫倚伏者禍福之萌也有禍者福之所倚也有福者禍之所伏也由是故禍福互為倚伏物盛則衰樂極則哀是福之極故為禍所倚否極之泰未濟之濟是禍之極故為福所伏然吉凶成敗目擊道存不可以終自然之理故无尤也

岐伯曰：成敗倚伏生乎動，動而不已，則變作矣。動靜之理氣有常運其微也為物之化其甚也為物之變化流於物故物得之以生變行於物故物得之以死由是成敗倚伏生於動之微甚遲速爾豈唯氣獨有是哉人在氣中養生之道進退之間當皆然也○新校正云按

至眞要大論云陰陽之氣清靜則生化治動則苛疾起此之謂也帝曰有期乎岐伯曰不生不化靜之期也人之期可見者二也天地之期不可見也夫二可見者一曰生之終也其二曰變易與土同體然後捨小生化歸於大化以死後猶化變未已故可見者二也天地終極人壽有分長短不相及故人見之者鮮矣帝曰不生化乎言亦有不生不化者乎岐伯曰出入廢則神機化滅升降息則氣立孤危出入謂喘息也升降謂化氣也夫毛羽倮鱗介及飛走蚑行皆生氣根於身中以神爲動靜之主故曰神機也然金玉土石鎔埏草木皆生氣根於外假氣以成立主持故曰氣立也五常政大論曰根于中者命曰神機神去則機息根于外者命曰氣立氣止則化絕此之謂也故无是四者則神機與氣立者生死皆絕○新校正云按易云本乎天者親上本乎地者親下周禮大宗伯有天產地產大司徒有動物植物即此神

機氣立之謂也滅音祕故非出入則無以生長壯老已非升降則無以生長化收藏夫自東自西自南自北者假出入息以爲化主因物以全質者陰陽升降之氣以作生源若非此道則无能致是十者也是以升降出入無器不有包藏生氣者皆謂生化之器觸物然矣夫竅横者皆有出入去來之氣竅豎者皆有陰陽升降之氣往復於中何以明之則壁窗戶牖兩向伺之皆承來氣衝擊於人是則出入氣也夫陽升則井寒陰升則水煖以物投井及葉墜空中翩翩不疾皆升氣所礙也虛管溉滿捻上懸之水固不泄爲无升氣而不能降也空瓶小口頓溉不入爲氣不出而不能入也由是觀之升无所不降降无所不升无出則不入无入則不出夫羣品之中皆出入升降不失常守而云非化者未之有也有失无失有清无情去出入已升降而云存者未之有也故曰升降出入无器不有故器者生化之宇器散則

分之生化息矣器謂天地及諸身也宇謂屋宇也以其身形包藏府藏受納神靈与天地同故皆各器也諸身者小生化之器宇太虛者廣生化之器宇也生化之器自有小大无不散也夫小大器皆生有涯分散有遠近者也故無不出入無不升降真生假立形器者无不有此二者化有小大期有近遠近者不見遠謂遠者无涯遠者无常見近而嘆有其涯矣既近遠不同期合散殊時節即有无交競異見常乘及至分散之時則近遠同歸於一變四者之有而貴常守四者謂出入升降也有出入升降則為常守有出无入有入无出有升无降有降无升則非生之氣也若非胎息道成居常而生則未之有屏出入息泯升降氣而能存其生化者哉貴常守反常則災害至矣出入升降生化之元主故不可无之反常之道則神去其室生化微絕非災害而何哉故曰無形無患此之謂也夫喜於遂悅於色畏

於難惟於禍外邪風寒暑濕內繫飢飽愛欲皆以形无所隱故常嬰患累於人間也若便想慕葉蔓嗜欲无厭外附權門內豐情偽則動以牢網坐招燔焫欲思釋縛其可得乎是以身為患階爾老子曰吾所以有大患者為吾有身及吾无身吾有何患此之謂也夫身与形与太虛釋然消散復未知生化之氣為有而聚耶為无而散乎帝曰善有不生不化乎言人有逃陰陽免生化而不生不化无始无終同太虛自然者乎岐伯曰悉乎哉問也與道合同惟真人也真人之身隱見莫測出入天地內外順道至真以生其為小也入於无間其為大也過虛空界不与道如一其孰能尔乎帝曰善

新刊黃帝內經素問卷十九

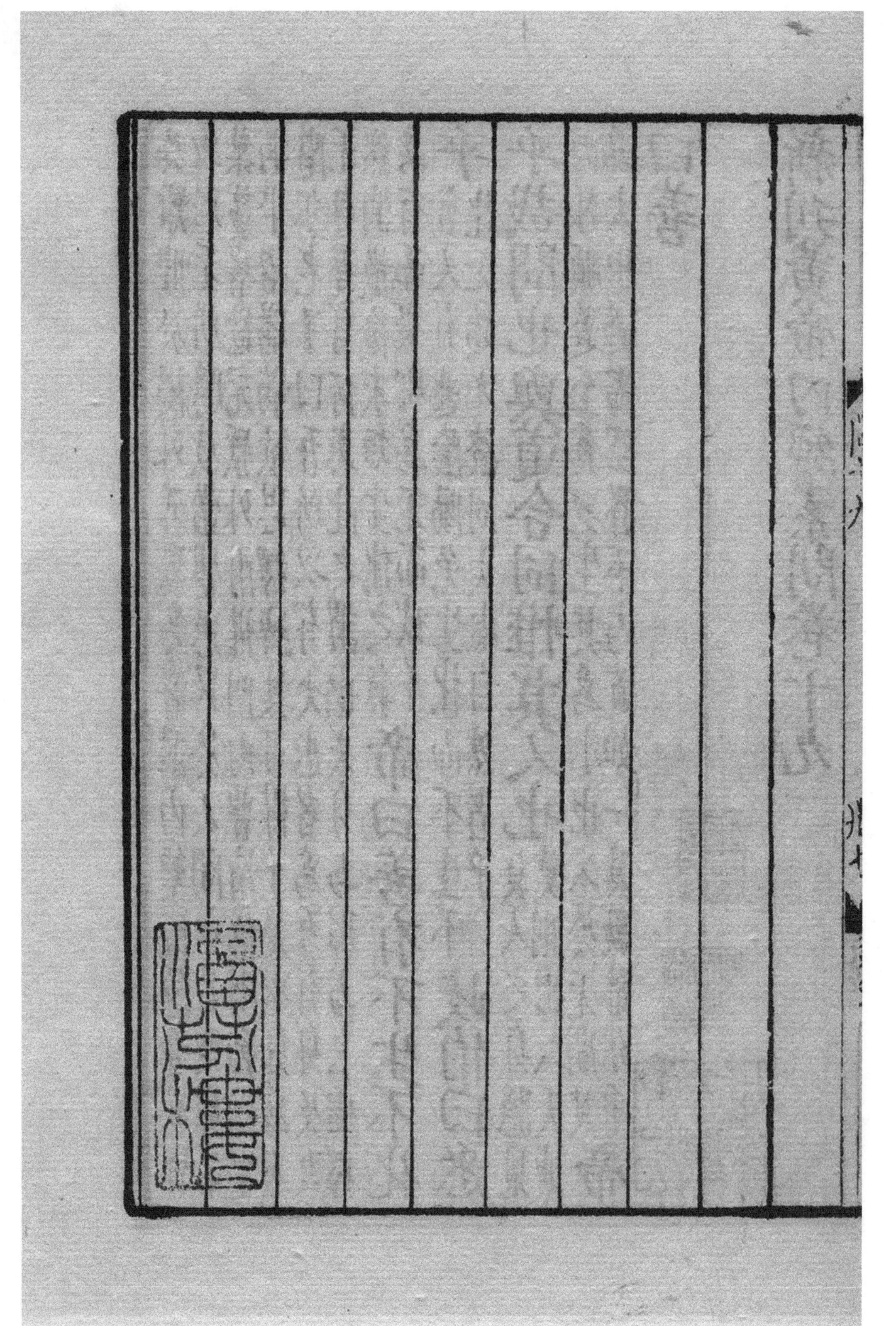